Collection dirigée par I

Le Jeu de l'amour et du hasard

Marivaux

- **des repères pour situer l'auteur, ses écrits, l'œuvre étudiée**
- **une analyse de l'œuvre sous forme de résumés et de commentaires**
- **une synthèse littéraire thématique**
- **des jugements critiques, des sujets de travaux, une bibliographie**

Philippe Kœppel
Agrégé de Lettres modernes

Sommaire

 ISBN 2-09-180480-0

La vie de Marivaux

AUTEUR À VINGT ANS

Pierre Carlet de Chamblain de Marivaux fut un auteur discret et mal compris à son époque. Sans doute faut-il voir dans ce trait psychologique et dans cette infortune littéraire, la raison pour laquelle sa vie est moins bien connue que celle d'un Voltaire ou d'un Rousseau.

Né à Paris en 1688, il y meurt soixante-quinze ans plus tard, en 1763. Cependant, après avoir vécu les dix premières années de sa vie dans la capitale, il suit son père, nommé directeur de la Monnaie à Riom, en Auvergne, de 1700 à 1710. Néanmoins, Marivaux sera avant tout parisien, ce qui n'est pas sans incidence sur le ton de ses pièces. Il fait ses études chez les Oratoriens où, contrairement à la rumeur, il reçoit une bonne formation de latiniste.

Sa vocation littéraire est précoce puisque, dès cette période, il donne sa première pièce : *Le Père prudent et équitable*, titre qui constitue, déjà, une ébauche de la psychologie marivaudienne. En effet, M. Orgon, le père de Silvia dans *Le Jeu de l'amour et du hasard* est un être bon, généreux et magnanime, comme le sont généralement les pères de Marivaux.

PARIS ET LA VOCATION LITTÉRAIRE (1710-1720)

En 1712, Marivaux s'établit définitivement à Paris. Il va y vivre une expérience importante : celle de sa participation à l'avant-garde littéraire de son temps. Lorsqu'il entre en littérature, la Querelle des Anciens et ses Modernes fait rage. Elle oppose les « dévots » d'Homère, c'est-à-dire ceux pour qui les seuls modèles à suivre sont les écrivains de l'Antiquité, aux partisans des écrivains contemporains, qui pensent qu'il faut puiser l'inspiration dans le temps présent. Dans les années

1710, cette querelle qui dure depuis 1650, donc depuis plus de soixante ans, est encore vive. Marivaux, pour sa part, sera résolument l'écrivain de la modernité. Il entre dans la bataille tout d'abord avec le *Télémaque travesti*, qui est une parodie* de l'ouvrage de Fénelon, puis avec *Homère travesti*, qui est un véritable boulet contre les Anciens. Marivaux expose un véritable Art poétique* moderne dans lequel l'invention, la pensée libérée de tout modèle, les discussions entre l'esprit brillant et la raison sont vives. Il ne veut plus dépendre du passé, mais trouver sa vérité en lui-même : bref, être un homme de son temps.

En 1717, Marivaux se marie et devient, deux ans plus tard, le père de Colombe-Prospère qui sera son unique enfant. C'est alors que commencent ses difficultés matérielles. Il tente même de succéder à son père à la direction de la monnaie, à Riom, office qui, à l'époque, peut se révéler lucratif, mais cette tentative reste sans lendemain. En outre, en 1720, la faillite de Law le ruine et Marivaux, chargé de famille, connaît une situation matérielle difficile. Pourtant, c'est à l'issue de cette période que ses talents littéraires vont se confirmer.

LES ANNÉES CRÉATRICES (1720-1740)

Ruiné, Marivaux se réinscrit à la Faculté de Droit de Paris pour devenir avocat, mais la fièvre créatrice ne le lâche pas. C'est en 1720 qu'il prendra son envol littéraire : le 3 mars, il fait ses débuts chez les Comédiens-Italiens avec *L'Amour et la Vérité*, titre qui peut résumer toute son œuvre ; le 17 octobre, il fait jouer, toujours par les Italiens, *Arlequin poli par l'amour* : la pièce est un succès, contrairement à *Annibal* (son unique tragédie) qui ne tient que trois jours. Mais c'est l'aube de la gloire pour Marivaux. La circonstance capitale pour la suite de sa carrière, c'est sa rencontre avec la Comédie-Italienne, dont il devient l'un des auteurs de prédilection. S'il fut mal compris par les critiques de son temps, il ne sera jamais délaissé par le public qui goûte la fantaisie et la légèreté de ses pièces sans pour autant, d'ailleurs, en saisir la profondeur.

Durant cette période féconde, chaque saison théâtrale est marquée par la création ou par la reprise d'une pièce de Marivaux. L'Hôtel de Bourgogne, fief des Comédiens-Italiens, a sans cesse à l'affiche l'auteur d'*Arlequin poli par l'amour*. Dans le même temps, Marivaux entreprend la publication d'un journal : *Le spectateur français* (1721), dans lequel il fait paraître une suite de portraits et de réflexions morales. Après l'*Arlequin*, les Italiens créent *La Surprise de l'amour*. C'est lors de cette création que Marivaux fait la connaissance de Silvia, qui va devenir son interprète fétiche et qui incarnera, pour le public parisien, l'idéal de la femme marivaudienne. L'année suivante, qui est aussi celle de la mort de sa femme, Marivaux triomphe avec *La Double inconstance* suivie, en 1724, de *La Fausse suivante*. Cette intense activité créatrice se double tout naturellement d'une vie mondaine importante : Marivaux fréquente les salons* parisiens, publie un nouveau journal, *L'Indigent philosophe*, tandis qu'alternent, tant à la Comédie-Italienne qu'au Théâtre-Français, les comédies sentimentales et les sujets sociaux. Le 23 janvier 1730, les Italiens jouent la première du *Jeu de l'amour et du hasard* : la pièce plaît au public parisien. Dans la foulée de cette inspiration heureuse et conquérante, Marivaux entreprend un long roman, *La Vie de Marianne*, dont la rédaction durera dix ans. À partir de cette date, sa production s'accélère, son nom ne quitte pas l'affiche. Ne citons que les pièces les plus importantes : *Les Fausses confidences* (1737), ou encore son dernier grand succès : *L'Épreuve*. Mais il n'écrit pas que pour le théâtre. Il rédige, en effet, une sorte de version masculine de *La Vie de Marianne*, *Le Paysan parvenu* (1735). En 1742, son élection à l'Académie française, où il est préféré à Voltaire, lui apporte la consécration.

UN LONG PURGATOIRE (1740-1763)

Cette période de création intense débouche sur une semi-retraite assez inattendue. Marivaux vient juste de dépasser la cinquantaine – âge où Stendhal, par exemple, entreprend *La Vie de Henry Brulard* – et, s'il ne se tait pas tout à fait, il n'est plus le magicien du théâtre qu'il a été. Sa fille Colombe-Prospère entre dans les ordres ; quant à lui, il est un académicien rangé et salué par tous. Il continue de fréquenter les

REPÈRES

salons à la mode : celui de Mme du Deffand, puis celui de Mme Geoffrin, où se réunissent les plus grands noms des lettres, de la noblesse et de la diplomatie, mais il vit désormais dans l'ombre. Dans ces dernières années, il publie encore trois pièces : *La Femme fidèle*, *Félicie* et *Les Acteurs de bonne foi*, mais le cœur n'y est plus. Il s'installe chez une vieille amie, Mme de Saint-Jean, au domicile de laquelle, rue de Richelieu, il meurt le 12 février 1763 à trois heures du matin.

VIE ET ŒUVRE DE MARIVAUX	ÉVÉNEMENTS POLITIQUES, SOCIAUX ET CULTURELS
	1673 Mort de Molière.
	1680 Fondation de la Comédie-Française.
	1687 Début de la Querelle des Anciens et des Modernes (qui se termine en 1714).
1688 Naissance à Paris de Pierre Carlet.	
	1689 Naissance de Montesquieu.
	1691 Racine, *Athalie.*
	1694 Naissance de Voltaire.
	1697 Renvoi des Comédiens-Italiens par Louis XIV.
1700 Le père de Marivaux, directeur de la Monnaie à Riom.	
1708 -1712 (?) *Le Père prudent et équitable.*	
1710 Inscription de Marivaux à la Faculté de Droit de Paris. Il y étudie jusqu'en 1713.	
	1712 Naissance de Rousseau.
	1713 Naissance de Diderot.
	1715 Mort de Louis XIV. Régence.
	1716 Law fonde la Banque Générale. Retour des Comédiens-Italiens à Paris.
1717 Début de la collaboration au *Mercure de France* ; Marivaux journaliste.	
1720 *L'Amour la vérité* (aux Italiens). *Annibal* (à la Comédie-Française).	**1720** Faillite de Law. Ruine de Marivaux.
1721 Marivaux licencié en droit.	**1721** Montesquieu, *Les Lettres persanes.*

VIE ET ŒUVRE DE MARIVAUX	ÉVÉNEMENTS POLITIQUES, SOCIAUX ET CULTURELS
1722 *La Surprise de l'amour* (aux Italiens). **1722-1724** *Le Spectateur Français*; Marivaux journaliste.	
1723 Première comédie sociale de Marivaux : *L'Ile des Esclaves* (aux Italiens).	**1723** Majorité de Louis XV. Il régnera jusqu'en 1774.
1727 *La Seconde surprise de l'amour* (aux Italiens). *L'Indigent Philosophe*; Marivaux journaliste.	
1730 *Le Jeu de l'amour et du hasard* (aux Italiens).	
1731 -1742 *La Vie de Marianne.*	**1731** Abbé Prévost, *Manon Lescaut.*
1732 *Le Triomphe de L'Amour* (aux Italiens).	**1732** Voltaire, *Zaïre* (tragédie).
1734 *Le Cabinet du Philosophe*; Marivaux journaliste. **1734-1735** *Le Paysan parvenu.*	**1734** Voltaire, *Les Lettres philosophiques.*
1735 *La Mère Confidente* (aux Italiens).	
1737 *Les Fausses Confidences* (aux Italiens).	
1740 *L'Épreuve* (aux Italiens).	
	1741 Naissance de Choderlos de Laclos.
1742 Marivaux à l'Académie française.	
1746 *Le Préjugé vaincu* (Comédie-Française).	**1746** Diderot commence l'*Encyclopédie*. Il la dirige jusqu'en 1765.
	1747 Voltaire, *Zadig*.
	1750 Rousseau, *Premier discours.*
1753 Van Loo peint le portrait de Marivaux.	
	1754 Naissance du futur Louis XVI.

VIE ET ŒUVRE DE MARIVAUX	ÉVÉNEMENTS POLITIQUES, SOCIAUX ET CULTURELS
1755 Adieux à la scène avec la *Femme fidèle.*	
	1756 -1763 Guerre de Sept-Ans.
	1757 Mort de Fontenelle, ami et protecteur de Marivaux.
1758 Édition des *Œuvres de Théâtre* de M. de Marivaux.	**1758** Rousseau, *Lettre à D'Alembert sur les spectacles.*
	1761 Rousseau, *La Nouvelle Héloïse.*
	1762 Rousseau, *L'Émile, Le Contrat Social.*
1763 Mort de Marivaux, le 12 février à trois heures du matin.	
1781 Publication des *Œuvres Complètes.*	

L'œuvre de Marivaux

Marivaux est un « touche-à-tout » de la littérature. En effet, en même temps que le dramaturge et le journaliste que l'on sait, Marivaux fut aussi romancier et critique.

MARIVAUX JOURNALISTE

S'étant toujours voulu à la pointe de la modernité, Marivaux n'a pas hésité à se lancer dans une activité de journaliste. Très tôt, il publie des articles dans le *Mercure de France*, un hebdomadaire fondé en 1672 pour relater les nouvelles de la Cour et donner des critiques littéraires, dont la publication se terminera en 1825. Il y fait paraître ce qu'on appellerait aujourd'hui un reportage, où il observe déjà la société dans laquelle il vit : les *Lettres sur les habitants de Paris*, puis en 1719, des *Pensées sur la clarté du discours et sur le sublime*, article dans lequel il précise ses idées en matière de doctrine littéraire. S'il abandonne momentanément le journalisme pour le théâtre, il y revient en 1721, et cette fois en fondant son propre journal : *Le Spectateur français*. Un tel titre pourrait laisser croire à un journal d'informations ; il s'agit en fait d'une sorte de journal de philosophe où les réflexions personnelles tiennent la première place. Il lancera encore deux autres périodiques : *L'Indigent philosophe* (1727) qui ne comptera que sept numéros et *Le Cabinet du philosophe* qui en comptera onze. Ces journaux nous sont précieux, car Marivaux y développe ses idées esthétiques et y répond aux différentes critiques concernant son œuvre. La thématique marivaudienne y apparaît également puisqu'il y parle aussi des femmes et de l'amour. Chez Marivaux, tout est dans tout. *Le Cabinet du philosophe* est sa dernière expérience en tant qu'éditeur d'un journal, mais il n'abandonne pourtant pas complètement le journalisme. À la fin de sa vie, il donnera encore quelques articles au *Mercure de France*, la revue de ses débuts.

On ne rendrait pas entièrement compte de l'œuvre de Marivaux journaliste si l'on ne signalait pas qu'il y développe également des talents de moraliste, notamment par une réflexion sur les mœurs de son temps.

MARIVAUX ROMANCIER

Dramaturge, journaliste, mais aussi romancier. En effet, très tôt (1712-1714), il publie *Les Aventures de*** ou les effets surprenants de la sympathie*, ouvrage dans lequel il prend la défense du roman et, en particulier, de ce qu'on peut appeler le roman psychologique. Car, dans ce premier roman, se retrouvent les caractéristiques de l'œuvre dramatique future : recherche de soi, désir de connaître l'autre et analyse de la sensibilité, importance du rôle dévolu à l'émotion. Presque dans la même foulée, il donne également deux autres romans de jeunesse : *Pharsamon ou les nouvelles folies romanesques*, ainsi que *La Voiture embourbée.* Mais il faut attendre les romans de la maturité – *La Vie de Marianne* et *Le Paysan parvenu* – pour que s'affirme l'originalité de son talent.

La Vie de Marianne et *Le Paysan parvenu*, bien qu'inachevés, sont les deux romans les plus importants de Marivaux. Il y dessine des personnages bien ancrés dans la société du temps et nous dépeint leur apprentissage de la vie avec un souci constant de réalisme.

La Vie de Marianne

Publié entre 1731 et 1741, le roman raconte les aventures d'une jeune fille qui, à l'âge de deux ans, et après l'attaque du carrosse dans lequel elle voyageait, est recueillie par un prêtre. À quinze ans, elle est placée en apprentissage chez une lingère, mais doit s'enfuir pour échapper aux avances d'un dévot hypocrite. Entre-temps, elle fait la connaissance d'un jeune noble, Valville, qui s'éprend d'elle, mais la famille de celui-ci s'oppose à leur union. Quand tout semble rentrer dans l'ordre et que le mariage devient possible, Valville tombe amoureux d'une autre femme. Malheureuse, Marianne songe à se faire religieuse. À la fin du roman, une amie tente de l'en dissuader.

Le Paysan parvenu

Le Paysan parvenu publié en 1734 et 1735 raconte l'histoire de Jacob, un paysan inconnu et obscur qui accède à la fortune.

Devenu le seigneur de son village natal, Jacob nous fait le récit de son ascension sociale dans une société – celle du XVIIIe siècle – régie par les lois et les préjugés de l'Ancien Régime. Arrivé jeune à Paris et joli de figure, il comprend vite qu'il peut s'élever grâce aux femmes. Il porte un regard lucide sur le monde qui l'entoure et, à force de séduction, mais aussi de gentillesse et de naturel, il grimpe dans la société. Le roman – inachevé – se clôt sur un épisode très romanesque au cours duquel Jacob sauve un homme, qui se révèle être le neveu du premier ministre : sa fortune est faite.

La modernité de Marivaux romancier

Il en va des romans de Marivaux comme de son théâtre : la critique lui fera souvent grise mine, mais le public les accueille avec chaleur et les rééditions de *La Vie de Marianne*, et surtout du *Paysan parvenu*, seront nombreuses au XVIIIe siècle. Car Marivaux a su traduire une nouvelle forme de sensibilité romanesque dans laquelle les analyses psychologiques sont parfaitement intégrées à l'action. En outre, ces personnages qui se racontent en s'analysant donnent à ses romans une authenticité qui ne pouvait que plaire aux lecteurs du temps, lassés des invraisemblances du roman héroïque du XVIIe siècle.

C'est d'ailleurs ce qui fait, aujourd'hui encore, l'intérêt des romans de Marivaux : outre leur ton et la saveur de la langue, ce mélange intime du réalisme et de l'analyse psychologique, la peinture d'un univers et le dévoilement concomitant d'une personnalité.

MARIVAUX DRAMATURGE

Si la critique du temps éreinte les comédies de Marivaux, le public, lui, l'adore et, exception faite du *Père prudent et équitable*, œuvre de jeunesse en un acte, viendra l'applaudir pendant plus de vingt-cinq ans. Certes, sa tragédie d'*Annibal* fut

REPÈRES

un échec, mais l'écriture d'une tragédie était, au XVIIIe siècle, le passage obligé pour tout jeune auteur. Mais, entre cette pièce et la dernière, *Le Préjugé vaincu*, le succès de Marivaux ne s'est jamais démenti.

Que lui reproche la critique ? Ce que l'on appelle, de son vivant déjà, le marivaudage, mais elle lui reproche aussi d'être précieux, d'avoir trop d'esprit, d'utiliser une langue qui manque de naturel. Enfin, les critiques de l'époque s'accordent à dire – non sans sévérité – qu'il écrit toujours la même pièce : celle de la surprise de l'amour.

L'originalité et la diversité de Marivaux

C'est par rapport à Molière, le grand maître de la comédie, qu'éclate l'originalité de Marivaux. Celui-ci inaugure un genre nouveau, qui se démarque des comédies de son illustre prédécesseur. Avec Marivaux, la comédie (et non pas le comique des comédies) s'intériorise, et, malgré l'influence de la comédie italienne, nous sommes, en quelque sorte plus proches du *Misanthrope* que des *Fourberies de Scapin* : la farce, même si Arlequin est l'un des personnages fétiches de Marivaux, laisse la place à l'interrogation sur soi-même, et ce qui devient l'objet de la comédie, c'est la difficulté – voire, parfois, l'impossibilité – pour les personnages de répondre à la question : *Qui suis-je ? Où en suis-je ?*, alors que d'autres personnages, maîtres du jeu, et le spectateur le peuvent. Le comique de Marivaux n'est pas un comique de scène, mais un comique de situation, situation un peu particulière, dans le sens qu'elle inclut le spectateur lui-même. C'est un comique qui tient avant tout au regard de l'autre, qu'il soit personnage ou spectateur.

Autre reproche également injuste : celui de la monotonie dans l'élaboration de ses pièces. Marivaux a su écrire des pièces dites allégoriques* où, derrière des personnages divins, se profilent des idées auxquelles il tient, aussi bien que des pièces utopiques*, où est exprimé de manière réaliste ce qu'il pense des travers et des injustices de la société de son temps, sans que cela le soit sur un ton révolutionnaire. Dans ses pièces, comme dans ses romans et ses articles de journaliste, Marivaux se montre un observateur fin et critique de la première moitié du XVIIIe siècle, tout en sachant garder ses distances : le temps des révolutions n'est pas encore arrivé.

Le théâtre de Marivaux et la postérité

La fortune de Marivaux est telle qu'aujourd'hui il est, après Molière, l'auteur le plus joué du répertoire. Cela réside, à n'en pas douter, dans le plaisir que lui-même prenait à tracer le portrait de ses contemporains, tout en y cherchant une universalité qui est restée sa marque propre : celle du marivaudage, autrement dit la recherche de soi-même dans l'échange verbal avec l'autre. C'est en cela que Marivaux, observateur avisé du langage bien avant la psychanalyse, et questionneur de l'altérité, est un auteur de notre temps.

MARIVAUX ACADÉMICIEN

Rappelons, pour en terminer avec la carrière littéraire de Marivaux, qu'il fut membre de l'Académie française. Il y est élu contre Voltaire le 10 décembre 1742 et aborde dans son discours d'investiture des sujets sur lesquels s'interroge toujours notre post-modernité : le rôle du français en Europe, ou bien encore l'influence de la culture.

Sommaire du *Jeu de l'amour et du hasard*

ACTE I

Silvia, que son père, M. Orgon, désire marier au fils d'un de ses vieux amis, s'entretient avec sa servante Lisette. Elle lui expose les préventions qu'elle éprouve à l'égard du mariage, mais surtout elle affirme qu'elle supporte mal de convoler en justes noces avec un homme qu'elle ne connaît pas. Orgon, en père libéral – un père selon le cœur de Marivaux – laisse sa fille maîtresse de son choix et accepte qu'elle intervertisse son rôle avec Lisette, afin de mieux observer son futur mari. Les deux femmes échangent leurs vêtements et leurs identités. M. Orgon, amusé, confie à son fils Mario qu'il sait que Dorante, l'époux promis à Silvia, usera du même stratagème en paraissant revêtu de la livrée de son valet Arlequin. Silvia, pourtant bien décidée à mener le jeu, va être rapidement troublée par Dorante-Bourguignon, qui l'étonne par sa belle allure et sa distinction ; le jeune homme, lui aussi, est saisi par la grâce et par la noblesse de caractère de celle qu'il croit être une servante ; la surprise de l'amour s'est produite. Arrive Arlequin-Dorante, qui ne peut que trahir sa condition, et dont la balourdise désappointe Silvia qui s'enfuit. M. Orgon, satisfait, traite Arlequin-Dorante avec tous les égards auxquels il a droit.

ACTE II

Les amours des valets, même lorsque ceux-ci sont travestis en maîtres, sont toujours menés tambour battant. Très vite, Lisette avoue à Orgon qu'elle a séduit Arlequin qu'elle prend pour Dorante. Non sans humour, Orgon encourage la servante à poursuivre l'entreprise et l'autorise à se faire aimer d'Arlequin/Dorante. Dès lors, les deux valets, dans un comique duo amoureux, se jurent un amour éternel. Ce quadruple jeu de masques – entre deux maîtres et deux serviteurs – ne serait qu'un agréable ballet de comédie si l'amour-propre ne se mettait pas doublement de la partie. En effet, d'une part chacun des deux jeunes premiers est stupéfait de ressentir une tendre inclination pour un être socialement inférieur. D'autre part, lorsqu'elle prend conscience que sa soubrette gagne les faveurs d'Arlequin, qu'elle croit être Dorante, Silvia se sent blessée dans sa fierté. C'est à la fois en tant que femme, maîtresse et jeune fille noble que Silvia souffre de son imposture. Dorante, d'ailleurs, n'y tenant plus, se déclare à Silvia. Enfin triomphante, elle décide néanmoins de demeurer masquée pour asseoir sa victoire.

ACTE III

Silvia, Mario et M. Orgon mènent désormais le jeu la main dans la main. Dorante, ne sachant plus où il en est, permet à Arlequin d'épouser Lisette-Silvia. De surcroit, il est manipulé par Mario qui excite sa jalousie. Lisette et Arlequin sont enfin libres de se révéler leur identité. Ils s'aimeront et se marieront. Quant à Dorante, jaloux et désespéré, il est sur le point de partir à jamais, ce qui pousse Silvia à lui avouer enfin son amour, et qui elle est réellement. Après les jeux du hasard, des masques et de l'amour, tout rentre dans l'ordre : l'harmonie succède aux doutes et aux atermoiements du cœur.

Les personnages

Le *Jeu de l'amour et du hasard* est d'abord une comédie du mariage. Aussi les personnages sont-ils peu nombreux : la pièce en compte six, dont les rôles se répartissent selon une dramaturgie* bien précise, fondée sur le jeu, la surprise, l'épreuve et l'amour.

LES MAÎTRES DU JEU : ORGON ET MARIO

M. Orgon

C'est le père marivaudien par excellence. Noble, il pourrait avoir l'arrogance d'un grand dans cette société du premier tiers du XVIIIe siècle. Pourtant, il sait se montrer bon, magnanime et libéral. S'il veut marier sa fille, il n'en respecte pas moins le désir de bonheur de celle-ci. « Nouveau père », loin des barbons* de Molière, il accepte le stratagème du déguisement que lui propose Silvia. Il se prête d'autant plus facilement à cet imbroglio* qu'il sait qu'il sera le meneur de jeu, le spectateur omniscient du quadruple travestissement sur lequel repose la pièce. M. Orgon est un homme affable qui assiste avec délices au déroulement d'une intrigue dont il est, en grande partie, le maître.

Mario

Celui-ci pourrait apparaître comme un second rôle de peu d'importance. Fils de M. Orgon et frère de Silvia, son utilité dramatique ne s'impose pas d'emblée ; il tient pourtant une place essentielle dans l'intrigue. En effet, il va pousser le jeu plus loin que son père, puisqu'il s'implique personnellement dans la comédie des masques. Il va aiguillonner, il va « agacer » le jeu pour pousser les deux héros, Dorante et Silvia, dans leurs derniers retranchements. Il est à la fois spectateur comme son père, mais aussi acteur dans la mascarade, en particulier au troisième acte, lorsqu'il provoque la jalousie de Dorante. Élément constant de l'intrigue, il en est aussi, avec son père, l'un des deux maîtres.

LES AMANTS À L'ÉPREUVE

Silvia

Silvia est un nom fétiche dans la dramaturgie marivaudienne, même s'il y figure moins fréquemment que ceux de Lisette et d'Arlequin. En effet, Silvia, c'est un rôle, celui de la fille de Monsieur Orgon ; mais c'est aussi et surtout une actrice – qu'aujourd'hui nous qualifierions de « star » –, qui fut l'actrice préférée de Marivaux, celle pour qui il écrivait ses rôles. Dans le *Jeu*, Silvia est d'abord guidée par la raison : en jeune fille noble du XVIIIe siècle, elle sait que le mariage est un engagement irréversible ; mais en jeune fille « moderne », elle ne veut pas devenir la victime d'une union arrangée : d'où l'invention d'un stratagème lui permettant de savoir si elle peut dire « oui ». Ce qu'elle ignore – et qui corse l'intrigue – c'est que celui qu'elle doit épouser – Dorante – va utiliser le même subterfuge. Il s'ensuit, pour elle, une double épreuve* : d'une part, dans la surprise que l'amour lui cause, elle sent sa raison vaciller, d'autant plus qu'elle pense être éprise d'un domestique ; d'autre part, elle est amenée à vivre, l'espace d'une comédie, la condition de servante : elle est, fictivement il est vrai, la domestique de sa servante. C'est cette double épreuve qui fait de la Silvia du *Jeu* une héroïne profonde et attachante. En effet, elle n'est, au premier abord, que la victime de Cupidon, le dieu de l'amour, mais elle est aussi, malgré elle et pendant deux actes, infidèle à sa classe sociale. Cette double épreuve subie, tout rentrera dans l'ordre – Marivaux n'est pas un révolutionnaire – et Silvia trouvera la sérénité et le bonheur.

Dorante

C'est un jeune noble bien fait et plein de mérite, le type même de l'amoureux classique à la scène. Dans le langage théâtral d'aujourd'hui, nous dirions qu'il est un « jeune premier ». Comme Silvia, et pour des motifs tout aussi nobles, il a décidé de rencontrer la femme qu'il doit épouser en s'abritant derrière un masque. Pour lui aussi, le stratagème va se transformer en piège : amoureux d'une servante, qui a l'âme bien née, il se perdra dans les méandres d'un jeu qui le dépasse, et ne retrouvera sa sérénité que tout à la fin de la comédie. Ce trouble fait de lui un personnage en qui la grandeur existe : en effet, sous la férule de l'amour, et après bien des hésitations, il se révèle capable de dépasser ses préjugés de caste. Ainsi, même s'il est la dupe de tous les autres, il ne perd jamais sa noblesse. Amant de comédie, Dorante, bien que malmené, conserve une allure qui inspire le respect et, comme tous les personnages importants de Marivaux, ne perd à aucun moment sa dignité.

DES VALETS QUI JOUENT AUX MAÎTRES

Lisette

Lisette se retrouve, le temps d'un subterfuge, une « servante maîtresse » pour reprendre un titre de l'Opéra-Italien. Mais là encore, le personnage possède plus de profondeur que n'en ont habituellement les servantes du théâtre comique. Certes, elle est la domestique de Silvia et c'est pour lui obéir qu'elle se travestit, mais elle est aussi une femme. Prise au jeu, elle se pose en rivale et n'hésite pas à séduire celui qu'elle croit être le maître : Arlequin-Dorante. Dans ce jeu de l'amour et de la séduction, elle affirme hautement qu'un cœur égale un autre cœur. En cela elle est peut-être une devancière du Figaro de Beaumarchais.

Arlequin

Voici enfin le vrai personnage de la Comédie-Italienne*. Drôle, moqueur, hâbleur, il est tel que le public du XVIIIe siècle aimait à le voir et à l'entendre. Paré de l'habit de son maître Dorante, Arlequin n'en reste pas moins un coquin insolent qui, plus à l'aise que tout autre dans le subterfuge, n'hésite pas à mener rondement ses affaires amoureuses. Mais, avec ce personnage, Marivaux affirme une fois encore son génie du théâtre : dans le *Jeu*, Arlequin n'est pas un simple butor, il est, lui aussi, un élément essentiel de l'intrigue. D'une part, aux yeux de Silvia-Lisette, il sert de faire-valoir à son maître Dorante-Bourguignon ; d'autre part, en conquérant la vraie Lisette, il offre à Silvia le spectacle de l'amour et de la séduction.

Résumés et commentaires

Les termes suivis d'un astérisque renvoient au lexique page 107.

LE TEXTE

Le découpage scénique du *Jeu de l'amour et du hasard* n'est pas le même dans toutes les éditions. L'édition Bordas (coll. « Univers des Lettres ») a conservé le découpage d'avant 1736 qui comprend un plus grand nombre de scènes que celui d'après 1736, qu'ont repris les éditions de La Pléiade (édition de Henri Coulet et de Michel Gilot), Garnier (édition de Frédéric Deloffre), Larousse (Classiques Larousse, édition de Michel Gilot). L'édition Bordas étant toujours disponible, c'est elle que nous avons choisie pour cette étude ; nous avons donc conservé le découpage de 1736.

Table de correspondance des scènes :

Acte I : les scènes 3 et 4 de Bordas ne forment qu'une seule scène dans les autres éditions : la scène 3.

Acte II : les scènes 9 et 10 de Bordas forment la scène 9 dans les autres éditions.

Acte III : pas de différence entre les éditions.

ACTE I
COMMENTAIRE GÉNÉRAL

Un acte d'exposition où chacun se dissimule

Dans la scène 1, Silvia expose, dès les premières répliques, le sujet de la pièce : il va être question du mariage. Chez Marivaux, l'exposition* est toujours chez Marivaux extrêmement rapide. Nous savons tout de suite que Silvia redoute le mariage ; elle a autour d'elle des exemples qui semblent lui donner raison. C'est sur cette crainte de dire « oui », alors qu'il aurait mieux valu dire « non », que va reposer toute l'intrigue. En effet, sans crainte, pas de travestissement et partant pas de comédie. Dès la deuxième scène, le rythme de la pièce va s'emballer : nous apprenons très vite le plan de Silvia et, en écho, celui de Dorante. Chacun étant à sa place, à son poste d'observation, le jeu peut commencer. Jeu dont aucun des deux jeunes gens ne sera vraiment le maître, car ils ont compté sans le hasard qui a voulu que la même idée germe dans leur tête, sans le hasard qui prend un malin plaisir à brouiller toutes les cartes. À partir de la scène 5, le père et le frère de Silvia, ainsi que le spectateur, n'ont plus qu'à regarder se dérouler un bal masqué dont ils connaissent toutes les ficelles, mais pas l'aboutissement. Le moteur de l'intrigue est en route : Dorante et Silvia partent tous deux à la recherche de la vérité de l'autre. Plus encore que le futur conjoint, ce qu'ils veulent scruter c'est l'être de l'autre.

Le jeu de l'amour et de l'amour-propre

Dans cette partie de cache-cache, une force supplémentaire va faire avancer l'action : l'amour-propre. L'amour et le hasard, en effet, ne sont pas les seules forces en jeu, l'amour-propre y tient une place au moins aussi grande. Le travestissement en effet n'est pas seulement un moyen de s'assurer que l'autre est digne d'être aimé, pas plus qu'il n'est qu'un simple divertissement : il est un piège plus grave qu'on ne le croit. Conçu à l'origine comme un instrument de puissance, il va vite devenir cause de trouble et de malaise en bouleversant l'ordre du monde et en mettant la vanité de chacun à rude épreuve. Dorante est le premier à être pris dans la tourmente. Dès la scène 7, il tombe amoureux de Silvia qu'il croit être une servante. Impulsif, il prend vite son parti de son coup de foudre pour cette soubrette qui a des allures de grande dame. Cependant, à la fin de l'acte, il ne sait plus où il en est. Il est à la fois fortement troublé par son amour naissant, mais également par le fait d'être tombé, lui, un jeune noble, amoureux d'une domestique. Il s'était juré de n'aimer sérieusement « qu'une fille de condition », une fille de sa caste, et le voilà qui s'éprend de la suivante de celle qu'on lui destine. Dorante, néanmoins, sacrifiera sans trop de peine sa vanité à son amour. Il n'en ira pas de même pour Silvia, dans l'acte suivant.

ACTE I, SCÈNE 1

RÉSUMÉ

Au lever de rideau, nous sommes en présence de deux jeunes filles qui se disputent à propos du mariage. L'une s'appelle Silvia et l'autre est sa servante, Lisette. Les valets de Marivaux ne sont plus ceux de Molière : ils se sont dégrossis, rapprochés de leurs maîtres, aussi n'y a-t-il rien d'étrange à ce que Lisette soit la confidente de sa maîtresse. Silvia, dès la première réplique de la scène, reproche à Lisette de se mêler de sa vie sentimentale. En effet, cette dernière tente de la convaincre d'accepter pour époux le jeune homme que son père lui destine, mais qu'elle ne connaît pas. Lisette, imprudemment, a affirmé à M. Orgon que sa fille serait heureuse d'être mariée. Silvia, alors, se révolte et refuse que l'on décide de son destin, même si les propos que l'on tient sur son futur mari sont flatteurs. À ses yeux, une jeune fille passe un marché de dupes en acceptant celui qu'on lui propose comme époux sur la bonne mine qu'il affiche avant le mariage ; après, tout change, dit-elle. Silvia, pour étayer sa démonstration, trace une série de portraits : ceux des maris de ses amies. L'un, Ergaste, est aimable en société mais grossier et brutal dans son ménage ; l'autre, Léandre, est affable au-dehors et ennuyeux chez lui ; Tersandre, enfin, est débonnaire avec autrui et colérique au logis. Bref, Silvia ne veut à aucun prix épouser un homme qu'elle n'aura pas mis à l'épreuve auparavant.

COMMENTAIRE

La crise nuptiale

La scène 1 du premier acte est, dans la dramaturgie* classique, la scène d'exposition* : c'est-à-dire celle où nous sont présentés à la fois les protagonistes* de la pièce – même si certains ne sont pas physiquement présents sur les planches – et l'intrigue. Marivaux, sans perdre de temps, nous plonge au cœur du débat : Silvia et sa servante Lisette sont en pleine discussion sur le mariage. On apprend que Dorante, le futur mari de Silvia, va arriver chez M. Orgon pour que soient réglées les conditions de l'union. Lisette, en fille simple et spontanée, se réjouit de cette nouvelle, mais sa maîtresse lui expose son aversion pour le mariage imposé par les parents. Elle exprime son désir de demeurer célibataire : « Je ne m'ennuie pas d'être fille. » Ce que refuse Silvia ce n'est pas le mariage, et encore moins l'amour – bien que son refus puisse trahir une peur du désir –, mais une union qui lui serait dictée. En ce sens, elle est bien le porte-parole de Marivaux : elle dit oui au mariage et à l'amour, mais non au fait d'être mariée à un inconnu, aussi aimable soit-il. Elle seule peut décider en la matière : « LISETTE. – Quoi ! vous n'épouserez pas celui que [votre père] vous destine ? SILVIA. – Que sais-je ? peut-être ne conviendra-t-il point, et cela m'inquiète. » L'attitude de Silvia n'est pas tant fondée sur le refus que sur l'inquiétude. Elle redoute d'être perdante, d'être la dupe d'un homme qui l'aura bernée, avant le mariage, par sa personnalité séduisante. Lisette, pour sa part, a une vue plus sereine du couple : plus proche des choses de la vie que ne l'est sa maîtresse, elle rêve à « une union [...] délicieuse » avec un homme « aimable, de bonne mine » ayant de l'esprit et un bon caractère. L'hymen, pour elle, c'est d'abord la protection que procure un mari et le plaisir que peut offrir un homme bien fait. Ce que ne comprend pas Lisette, c'est que sa maîtresse est en proie à un trouble bien marivaudien que l'on a pu appeler la « crise nuptiale ». Crise qui se caractérise par toute une série d'empêchements précédant le triomphe de l'amour.

La méfiance du « on-dit »

Silvia n'a ni la spontanéité ni l'enthousiasme de Lisette. Si elle n'est pas une précieuse, c'est-à-dire de celles qui refusent catégoriquement le mariage, elle est fille de son temps et croit en l'expérience. Elle ne veut pas non plus être l'Agnès de Molière et découvrir l'amour par le cheminement naturel des sens et du cœur, elle veut mettre à l'épreuve, soumettre à sa raison celui qui partagera sa vie. La beauté et la belle apparence ne lui suffisent pas : « De beauté et de bonne mine, je l'en dispense ; ce sont là des agréments superflus. » En jeune fille évoluée, elle tient à maîtriser sa vie, elle est une « féministe » avant la lettre. Cette volonté la conduit à refuser deux contraintes qui pèsent encore sur les jeunes filles au XVIIIe siècle : d'abord la puissance paternelle (mais elle a la chance d'avoir un père à la Marivaux qui l'autorise à mettre son futur mari à l'épreuve) ; ensuite, les prérogatives masculines qui font qu'une fois le mariage célébré, l'épouse n'a plus qu'à se plier aux humeurs du mari. Elle tente de convertir Lisette à son point de vue en lui esquissant une série de trois portraits prouvant qu'elle ne peut accepter un mariage pour lequel elle n'aurait pas son mot à dire. Les « on-dit » sont trompeurs et font le malheur de celles qui s'y laissent prendre. Aussi, après le portrait flatteur que Lisette a brossé de Dorante, Silvia contre-argumente en nous peignant, à la manière de La Bruyère, trois maris peu engageants. Ces descriptions qui servent à sa démonstration, Silvia sait parfaitement les ordonner. Le premier portrait, celui d'Ergaste, est celui d'un tyran domestique, celui d'un époux dont « la physionomie si douce [...] disparaît un quart d'heure après, pour faire place à un visage sombre et brutal, farouche, qui devient l'effroi de toute une maison. » Léandre, pour sa part, s'il n'est pas un tyran, est un indifférent qui ne respire que l'ennui et qui refroidit ceux qui vivent avec lui. Voici deux portraits qui ruinent les arguments de Lisette : l'homme est un être à double visage ; ils suffiraient à nous préserver du mariage et Lisette « gèle au récit » qu'on lui fait. Les défauts de ces deux maris, Silvia n'en est que le témoin indirect. Pour parfaire et donner plus de force à son réquisitoire, elle nous conte, avec le portrait de Tersandre, une mésaventure qui lui est advenue. Tersandre est un fourbe, elle le sait, puisque, après s'être querellé avec sa femme, il a su faire bon visage à Silvia. Bref, et quoi qu'en pense Lisette, la bonne mine est superflue, et l'on ne peut se marier sans les garanties de la raison et du cœur.

ACTE I, SCÈNE 2

RÉSUMÉ

À la suite de ce dialogue entre Silvia et sa servante, M. Orgon entre en scène. Il annonce à sa fille que son fiancé arrive le jour même. Devant l'air sombre de Silvia, il interroge Lisette pour tenter de comprendre. Cette dernière lui rapporte de façon sybilline* et comique les propos de sa maîtresse. Quand il comprend les réticences de sa fille au sujet du mariage, il décide de la laisser libre de son choix : elle n'épousera Dorante que s'il lui convient. Silvia, cependant, demeure méfiante et propose à son père le stratagème qui va constituer le moteur de la pièce : il s'agit d'échanger son rôle avec celui de Lisette afin d'étudier à son aise le caractère de celui qui lui est destiné. Amusé et compréhensif, Orgon se prête au jeu. La scène s'achève sur le départ des deux jeunes femmes, qui sortent pour se travestir : la servante en maîtresse, la maîtresse en servante. La machine dramatique de Marivaux est lancée.

COMMENTAIRE

Une action dramatique qui n'attend pas

Dès cette deuxième scène, nous sommes déjà dans le ton de Marivaux, qui ne souffre pas la lenteur. La première scène nous a dévoilé le caractère des deux jeunes femmes : Lisette est enjouée, vive et dégage une sensualité heureuse et insouciante ; Silvia est farouche, éprise de son indépendance et inquiète d'un mariage convenu entre les deux pères et dans lequel ses goûts et ses sentiments ne seraient pas pris en compte. Une fois posée la personnalité des deux protagonistes féminines, l'action démarre pour ne plus s'arrêter. Une pièce de Marivaux, c'est d'abord un rythme qui se soutient jusqu'au dénouement.

Un père moderne

L'accord rapide et amusé d'Orgon surprendrait chez Molière. Le père de Silvia n'est pas un barbon*, c'est un homme qui a des Lumières* : il sait joindre le cœur à la raison. Il a conscience qu'il ne peut faire le bonheur de sa fille malgré elle ; sa tendresse de père et sa raison d'homme le lui enseignent. C'est aussi un homme qui ne dédaigne pas le jeu, nous le verrons plus tard. Ce goût du jeu et de l'intrigue fait de lui un nouveau type de père de théâtre : d'une part, il n'est plus le père que l'on dupe, mais celui qui est capable de duper les autres ; d'autre part, il est sensible, libéral et sait vivre avec son temps.

L'ironie parodique de Lisette

Dans cette deuxième scène, Lisette est la principale interlocutrice d'Orgon et elle donne déjà l'une des tonalités de la pièce : celle de l'ironie parodique. Tout d'abord, dans la deuxième réplique, elle fait à son maître un résumé moqueur des sinistres portraits de maris que Silvia a peints dans la scène précédente. Elle s'amuse, pour tourner en dérision les craintes de Silvia, à condenser tellement la pensée de celle-ci que le résumé en devient presque incompréhensible, à la limite du ridicule. Fine mouche, plus avisée que Silvia et même qu'Orgon, elle a déjà compris que tout ne se résumerait pas à la simple alternative qu'imagine le père de la jeune fille : vous vous plaisez, on vous marie ; vous ne vous plaisez pas, vous reprenez votre liberté. Ensuite, lorsque la décision de se travestir est prise, c'est avec une ironie joyeuse qu'elle emprunte l'impérieuse personnalité de Silvia, en renversant les rôles à plaisir. Cette deuxième scène nous donne un aperçu du caractère de Lisette : c'est une jeune fille intelligente, qui a le sens de la répartie et de la formule, mais, surtout, qui est pétrie de bon sens et qui a, comme l'on dit, les pieds sur terre. Sans le savoir, Silvia vient de se faire une redoutable rivale.

ACTE I, SCÈNES 3 ET 4

RÉSUMÉ

La scène 3 est une scène de transition extrêmement rapide puisqu'elle ne comporte que deux répliques ; pourtant ce n'est pas une simple cheville*. En effet, dans cet acte d'exposition, elle permet de faire apparaître un nouveau personnage : Mario, le frère de Silvia. En même temps, en peu de mots, elle nous donne le ton qui règne dans la famille d'Orgon. C'est une famille heureuse, unie et dans laquelle chacun a sa personnalité propre.

La scène suivante, la 4, est une scène de complicité entre un père et son fils. Orgon va confier, en ménageant bien ses effets, un double secret à Mario. Il lui apprend que Dorante arrive le jour même et qu'on ne le verra que déguisé. Surprise de Mario, qui feint de croire que son père veut donner un bal masqué. Ce dernier s'empresse alors de lui lire une lettre du père de Dorante qu'il vient de recevoir. Le spectateur y découvre – en même temps que Mario – que Dorante a pris une décision identique à celle de Silvia : afin d'étudier et d'apprendre à connaître sa future épouse, il se déguisera en valet, et son valet, Arlequin, jouera le rôle du maître. Ce stratagème amoureux comble Mario d'aise. Comme son père, il se réjouit d'un subterfuge dont il connaît maintenant tous les secrets. Orgon, qui s'amuse déjà, ne révèle à son fils l'autre partie de la comédie qu'après un léger temps d'arrêt. Il partage avec le spectateur, lui aussi déjà averti, le plaisir de présenter la deuxième supercherie : celle imaginée par Silvia. D'un commun accord, le père et le fils décident de jouer le jeu pour voir ce qui naîtra de ce tournoiement de masques. Psychologue, Mario suppute les chances – nous sommes dans un jeu – qu'auront les amants de s'identifier et de s'aimer.

COMMENTAIRE

Le jeu de l'amour et du hasard

C'est à partir de cette scène 4 que le titre choisi par Marivaux trouve sa pleine justification. En effet, le jeu, le hasard et l'amour nous y sont explicitement annoncés...

Le **jeu** d'abord. Ce qui n'aurait pu être qu'un simple travestissement devient un complexe ballet de personnages masqués, avec un maître de danse et son acolyte : M. Orgon et Mario. En outre ce jeu possède déjà sa double caractéristique :

jeu sérieux pour Silvia et Dorante, divertissement léger pour Orgon et Mario, et, dans une moindre mesure, pour Lisette.

Le **hasard** ensuite. Lorsque son père lui demande s'il faut ou non avertir Silvia du plan imaginé par Dorante, Mario lui conseille de s'en remettre au hasard et de ne pas déranger le cours des futurs événements. Il faut laisser le destin libre d'agir quitte à ce que le mariage ne se fasse pas. Mario a néanmoins son idée : esprit curieux, il se demande lequel l'emportera de l'amour ou du hasard.

L'**amour**, en effet, semble en grand danger en ce début de premier acte. Chacun s'acharne à brouiller les pistes : les amants en se travestissant, les père et frère en laissant faire et en se réjouissant de mener le jeu, les serviteurs, enfin, assez contents de prendre la place des maîtres. Cependant, le principal péril ne vient pas de cet imbroglio*, mais du combat que l'amour et l'amour-propre vont se livrer. Même si leur cœur les porte l'un vers l'autre, Dorante et surtout Silvia devront vaincre leur vanité de caste s'ils veulent être réunis.

Le travestissement

Le déguisement est consubstantiel au théâtre. Il n'y a pas de théâtre sans masque. Le comédien est, par définition, celui qui troque son identité pour une autre. En outre, se travestir est une des composantes du théâtre de Marivaux : dans *Le Père prudent et équitable*, l'un des personnages joue à la fois le rôle d'une femme et celui d'un financier ; dans *La Double inconstance*, le Prince, pour séduire Silvia, se déguise en officier du palais. Cette liste n'est pas exhaustive, mais elle suffit à prouver que le travestissement est un élément fondamental de la dramaturgie marivaudienne. Dans le *Jeu*, ce sont quatre personnages qui se masquent et sont observés par d'autres qui connaissent leur identité, ainsi que par le spectateur qui, dès la scène 4, a entre les mains tous les fils de l'intrigue. Cependant, chez Marivaux, la fonction du masque, va bien plus loin que le simple procédé tel que la farce, par exemple, peut l'utiliser. Le travestissement, dans le *Jeu*, a une triple fonction : tout d'abord, il sert à mettre l'amour à l'épreuve ; ensuite, il oblige les personnages à démasquer l'autre ; enfin, il est un moyen pour Marivaux de mettre en lumière les inégalités de la société d'Ancien Régime, sans pour autant faire preuve d'une volonté révolutionnaire. En effet, cette dernière fonction relève davantage de la satire sociale, domaine traditionnel de la comédie.

ACTE I, SCÈNE 5

RÉSUMÉ

Retour de Silvia déguisée en femme de chambre. Coquette et sûre de sa grâce, elle cherche, malgré son humble tenue de servante, les compliments de son père et de son frère. Mario lui affirme qu'elle va s'attirer l'amour de deux cœurs : celui du valet véritable et celui du maître déguisé en valet. C'est alors qu'éclate l'orgueil de Silvia, sa vanité de caste : elle est persuadée qu'elle pourra conquérir Dorante par sa distinction, et que la noblesse de son air la préservera des avances amoureuses éventuelles du valet, qui n'osera franchir les bornes de la décence. Malicieusement, Mario et son père se permettent d'en douter. Tout à son plan, Silvia compte bien, si le valet de Dorante se montrait trop entreprenant, retourner la situation à son avantage, en se servant d'un possible discours amoureux du valet pour aviver les sentiments du maître. La scène se termine sur l'arrivée de Dorante travesti en domestique.

COMMENTAIRE

Une scène d'annonces

Il s'agit d'une scène très courte, mais où, comme dans la scène 3, rien n'est gratuit. Chaque mot, chaque réplique a son importance. C'est notamment une habile scène d'annonces. En effet, alors que nous voyons une Silvia très sûre d'elle-même – elle ne doute pas de la puissance de sa séduction –, nous sommes complices d'Orgon et de Mario qui, moins aveuglés, plus perspicaces, prévoient les difficultés que va rencontrer la jeune fille. Ni l'un ni l'autre ne doute qu'elle va tomber amoureuse du faux valet et se trouver entraînée dans une situation que, très vite, elle ne parviendra plus à maîtriser.

Le comique de l'ambiguïté

Il y a dans cette petite scène un comique très fin qui réside dans l'ambiguïté des propos échangés. Lorsque Silvia parle de faquin*, elle pense à un domestique sans pouvoir imaginer que ce faquin sera Dorante lui-même. Elle ne sait pas que son propre stratagème s'est déjà retourné contre elle et que, bientôt, elle ne saura plus où donner de la tête et du cœur. Face à cette ignorance de ce qui l'attend, les paroles du père et du frère sont à double sens pour le spectateur, qui jouit de l'aveuglement de l'héroïne. Une héroïne qui, dès la première scène, a proclamé son intention de tirer toutes les ficelles de l'intrigue.

ACTE I, SCÈNE 6

RÉSUMÉ

Entrée de Dorante dans la maison d'Orgon. Il se présente sous un nom de valet : Bourguignon (les valets de l'Ancien Régime portaient souvent le nom de leur province natale). C'est Orgon qui l'accueille en premier et qui s'amuse de la difficulté de Dorante à bien tenir son rôle de valet. Sous sa livrée de domestique percent l'esprit et l'éducation du jeune noble. Orgon, pressé de voir comment vont se dérouler les choses, fait en sorte qu'une relation d'égalité se noue entre Silvia/Lisette et Dorante/Bourguignon. Il apostrophe sa fille en insistant bien sur le nom de Lisette – ce qui met la vanité de Silvia à rude épreuve – pour lui demander comment elle trouve ce Bourguignon qu'elle ne sait pas être Dorante. L'orgueil de Silvia en est ulcéré et elle ne peut s'empêcher de manifester de l'irritation, voire de la colère, lorsque son père, en se moquant, la prévient que « son cœur n'a qu'à bien se tenir ». Dorante, qui perçoit l'irritation de Silvia, adopte un ton humble derrière lequel on sent déjà poindre l'amour ; la difficulté qu'éprouve le jeune homme à tutoyer Silvia en est un indice. Il est ému par sa beauté et sa distinction, son allure noble. C'est ainsi que, lorsqu'il déclare être son serviteur, il ne faut pas prendre cette expression au sens propre : il faut comprendre que cela s'adresse à une femme admirée. Nous sommes toujours dans l'ambiguïté. Mario entre immédiatement dans le jeu en incitant les deux jeunes gens à se tutoyer, ainsi que doivent le faire deux domestiques. Silvia enrage et le fait savoir, en aparté*, à son frère. M. Orgon, une fois de plus, savoure l'ambiguïté de la situation en s'exclamant que les deux jeunes gens commencent à s'aimer. Il s'engage ensuite entre Silvia/Lisette et Dorante/Bourguignon une conversation galante bien étrange pour deux domestiques, par le ton qui est le sien. Mario qui a saisi, comme son père, qu'un amour est peut-être en train de naître, jette de l'huile sur le feu : il déclare qu'il n'est pas indifférent au charme de Silvia/Lisette. À la fin de la scène, le père et le fils se retirent pour laisser les deux jeunes gens en tête-à-tête.

COMMENTAIRE

Les maîtres du jeu

Dans cette scène, Orgon et Mario se sentent les maîtres du jeu. Dès les premières répliques, Orgon fait tous ses efforts pour traiter Dorante comme un valet, mais il sait bien qu'il a en face de lui un jeune seigneur dont il compte bien faire son gendre. C'est pourquoi il l'accueille ironiquement, sûr des cartes qu'il a dans son jeu ; il le félicite sur l'élégance de ses manières, tout en se moquant gentiment de sa fille : « Tu fais ta commission de bonne grâce. Lisette, que dis-tu de ce garçon-là ? » Nombre de réactions de sa part montrent qu'il se sent comme le meneur de jeu. Il est une sorte de metteur en scène – maître de ballet conviendrait mieux – placé au cœur de la pièce, chef d'orchestre désigné par l'auteur lui-même, danseur et chorégraphe tout à la fois. Non seulement il sait faire vivre son scénario en soutenant de la voix chacun des « acteurs sans le savoir », mais il n'hésite pas, quand l'action risque de retomber – parce que Silvia et Dorante sont étonnés de rencontrer un domestique hors du commun – à la relancer et, en bon metteur en scène, en bon auteur de théâtre, à donner un coup de fouet à l'intrigue : « Courage, mes enfants ; si vous commencez à vous aimer, vous voilà débarrassés des cérémonies. » Là encore le discours est bien ambigu : « mes enfants » est moins une tournure paternaliste qui s'adresserait à des serviteurs, qu'une formule affectueuse en direction de ceux qu'il désire précisément voir devenir ses enfants : sa fille et son futur gendre. Le personnage, Orgon, et Marivaux, l'auteur, ont à la fois la même tendresse pour Silvia et Dorante, et la même joie de tenir en main les ficelles de leurs destinées. Le rire de M. Orgon donne le ton de toute la scène : on s'y amuse, mais aussi on y ruse.

Mario s'amuse et compte bien, lui aussi, tirer les ficelles de la comédie… Il est moins tendre et, peut-être, plus joueur que son père. Cet état d'esprit lui permet de conserver plus de distance ; ainsi, il anticipe sur les événements à venir : ne doutant pas, comme son père, que Dorante succombera aux charmes de Silvia, il prépare, pour plus tard, une scène de jalousie, en se déclarant amoureux de la pseudo-servante.

Première rencontre : la naissance de l'amour

Dans cette scène, Silvia et Dorante se découvrent sans savoir qu'ils sont Silvia et Dorante. Cette rencontre, qui n'aurait été que banale s'il ne s'était agi que de deux domestiques, devient une rencontre clé. Silvia, tant qu'elle ne le connaissait pas, n'avait que mépris pour le valet de son futur époux ; tout juste pouvait-il, comme elle le pensait à la scène précédente, servir de faire-valoir. Elle découvre petit à petit, dans le cours de la scène, un être aimable, qui pourtant n'est pas de sa classe, mais qu'elle se doit de supporter puisqu'elle a échangé son rôle avec sa suivante. Le mouvement de la scène est construit sur la découverte de ce qui semblait totalement impossible : un frémissement tendre, même si ce n'est qu'un frémissement, se produit entre une Silvia bien née et un roturier bien fait. Non seulement le monde amoureux vacille, mais aussi et surtout le monde social. Où suis-je ? se demandera Silvia par la suite. Comment aimer un homme de si basse condition ? Comment aimer un homme qui soudainement semble si aimable, alors qu'il n'est que le serviteur de celui que l'on doit épouser. Le monde serait-il un mensonge ? L'ordre, un leurre ? Le cœur, une boussole sans Nord ?

L'amour, chez Marivaux, naît de la surprise, et cette surprise, nous la voyons, le spectateur la contemple. Même si ce n'est qu'un frémissement, il se déroule, sous nos yeux, le temps de plusieurs scènes. À cet égard, la scène 6 est remarquable : Silvia n'est pas encore amoureuse de Dorante – qu'elle prend toujours pour un valet – mais, sans qu'elle en sache rien, le sentiment fait son chemin ; Dorante, pour sa part, dès cette première rencontre, est subjugué par Silvia, alors que celle-ci sent en elle un trouble qu'elle ne s'explique pas.

Dorante ou le coup de foudre

Sans pleinement s'en rendre compte, Dorante est déjà sous le joug de Silvia. S'il est un personnage pour qui le coup de foudre existe, c'est bien lui. La progression de la scène en rend parfaitement compte. Quand il arrive dans la maison d'Orgon, il est avant tout préoccupé par son mariage et pense, grâce à son stratagème, maîtriser la situation. Ce qu'il n'avait pas prévu, c'est l'existence de Silvia, la fausse servante. La **surprise de l'amour marivaudienne**, Dorante en est la première et la plus rapide victime. Il l'avoue : les yeux de Silvia le subjuguent. Chacune de ses répliques laisse percer son trouble : il se déclare le serviteur de Silvia et il y a là plus qu'une formule de politesse : il se sent une âme de chevalier servant devant la femme aimée ; plus avant dans la scène, il lui déclare que ses désirs sont des ordres et que c'est dans ses yeux qu'il puise sa ligne de conduite. Ce registre de la galanterie n'est pas de mise – sinon de façon parodique* – entre deux serviteurs. Le cœur de Dorante a deviné ce que sa raison ne perçoit pas : Silvia est une fausse servante.

ACTE I, SCÈNE 7

RÉSUMÉ

Orgon et Mario ont quitté la scène, les deux jeunes gens restent seuls, face à face. Après leur première rencontre, qui n'a pas été sans les étonner, au sens fort du terme, ils vont faire plus ample connaissance. La scène 7 est une scène très construite, une de celles pour lesquelles le terme de **marivaudage** se justifie pleinement. Elle est notamment structurée par les nombreux apartés* de Silvia. Le premier aparté, en ouverture, donne l'enjeu de la scène : il s'agit pour elle d'apprendre à connaître le maître de Bourguignon, celui qu'on lui destine comme mari. Et le spectateur, au fil des répliques, va constater que c'est à Bourguignon/Dorante qu'elle s'intéresse. À l'aparté de Silvia répond, en écho, celui de Dorante : « Cette fille m'étonne ! » Bourguignon, de son côté, feint de s'intéresser à la maîtresse de Silvia/Lisette, mais juste l'espace d'une demi-réplique, avant de ne plus se préoccuper que de Silvia. Celle-ci s'en rend parfaitement compte et, bien que flattée, le lui reproche. Le jeune homme ne la contredit pas, au contraire, il ose un premier aveu : Silvia est une suivante avec « un air de princesse ». La fille de M. Orgon, sentant que le dialogue s'engage dans une voie galante, veut y mettre un frein. Elle lui demande d'abandonner le badinage* amoureux pour laisser place à l'amitié. Dorante, spirituellement, reconnaît que cela lui est impossible. Ébranlée par l'esprit de ce soi-disant valet, Silvia cherche une parade et prétend qu'elle n'épousera qu'un homme de condition, c'est-à-dire un homme appartenant à une couche élevée de la société. Elle vient cependant de reconnaître, dans un aparté, que Dorante lui fait plus que bonne impression : « Quel homme pour un valet ! » En effet, sous la livrée du domestique, elle commence à percevoir l'homme ; c'est à ce moment que débute, pour elle, la surprise de l'amour. Cette surprise est suivie d'un dialogue où tout est exprimé à mots couverts : ils se disent l'un à l'autre qu'ils n'épouseront qu'une personne de condition. Après une joute oratoire – et déjà amoureuse de part et d'autre – au sujet de leurs mères, Silvia, en partie conquise – son amour-propre lui interdisant de l'être complètement – oublie l'objectif qu'elle s'était fixé au début de la scène pour ne plus s'intéresser qu'à Dorante. Se sentant en danger, comprenant qu'elle accorde trop d'intérêt à un domestique, elle s'ordonne à elle-même de quitter la pièce. À la fin de la scène, après avoir explicitement reconnu les mérites de Bourguignon/Dorante, elle s'étonne de n'être pas partie. Dernière réplique de Dorante qui annonce l'arrivée d'Arlequin.

COMMENTAIRE

Une scène de marivaudage

Cette scène est tout à fait représentative de ce que l'on a appelé le **marivaudage**. Le mot a longtemps été péjoratif : il apparaît, comme le note Frédéric Deloffre dans sa thèse sur *Marivaux et le marivaudage*, du vivant même de Marivaux, dès 1760. Diderot, Voltaire et d'Alembert n'hésitent pas à l'employer. *Marivauder* signifiait alors : « disserter à perte de vue sur des problèmes sans importance ». Voltaire, par exemple, dira de Marivaux qu'il pesait « des œufs de mouche avec des balances en toile d'araignée ». Littré nous dit qu'il s'agit d'un style où l'on raffine sur le sentiment et l'expression ; le Robert parle de « propos d'une galanterie délicate et recherchée ». Cependant la critique, après Frédéric Deloffre, s'est efforcée de mettre en lumière l'aspect profond du marivaudage. La scène 7 de l'acte I permet de montrer que, si le marivaudage est indissociable d'une certaine légereté de ton, il est, en même temps, l'expression d'une vision plus profonde et plus grave.

Une légèreté de ton

Que le ton léger et rapide soit une des composantes du marivaudage, c'est une évidence ; le réduire à n'être que cela est une erreur : la légèreté n'en est qu'un aspect, mais un aspect important. Cette scène nous en fournit un exemple. Les échanges entre les deux personnages ont parfois la rapidité de l'éclair. Cette rapidité se joue souvent sur un mot : Silvia demande – hypocritement déjà – à Dorante de se « passer » de lui parler d'amour, de s'abstenir de lui tenir des propos galants, et Dorante réplique en s'emparant aussitôt du mot pour dire à Silvia, de façon antiphrastique*, qu'elle lui inspire des sentiments auxquels il ne s'attendait pas. La brièveté des répliques accentue encore cette tonalité légère et rapide ; en effet, si l'on supprime les apartés, ce qu'échangent les deux jeunes gens est une sorte de jeu verbal où les paroles fusent – au sens propre du terme – les unes après les autres. En outre, ce qui est dit est toujours plus riche que le sens premier du mot. Il y a sous les mots, sous les phrases, un « non-dit » qui voudrait bien se dire, mais qui ne peut s'exprimer à cause du double stratagème que chacun des protagonistes a imaginé. Rien n'est plus probant, à cet égard, que cet échange de répliques entre Dorante et Silvia : « [...] on m'a prédit que je n'épouserais jamais qu'un homme de condition, et j'ai juré depuis de n'en écouter jamais d'autres » lui dit-elle, à quoi Dorante répond : « [...] ce que tu as juré pour l'homme, je l'ai juré pour la femme, moi ; j'ai fait serment de n'aimer sérieusement qu'une fille de condition. » Non seulement, ils sont liés par le même serment, mais encore – et c'est là le « non-dit » qui veut se dire – ils s'envoient des signaux qu'ils ne peuvent pas encore comprendre. La légèreté marivaudienne est certainement dans cette impossibilité du décryptement, du déchiffrement des paroles de l'autre. Rapidité du dialogue et ambiguïté du propos, nous avons là le premier aspect du marivaudage.

Marivauder : connaître, reconnaître et exister

L'autre aspect du marivaudage tient en effet à un effort d'élucidation du monde, de soi-même et des autres. On passe d'un langage de convention – celui de la fin de la scène précédente, où Orgon, Mario et Dorante parlent le langage convenu de mise dans les rapports sociaux – à une parole plus sincère, par laquelle chacun va tenter de comprendre l'émotion, le trouble qui l'habite, tout en progressant dans la connaissance de l'autre.

Élucidation du monde. Silvia prend conscience, à travers sa découverte de Dorante, que la société dans laquelle elle a grandi et dans laquelle elle vit, est plus complexe qu'elle ne le croyait. Les valets y sont capables de traits d'esprit, et sont aussi des hommes doués de sentiments et de sensibilité : « Quel homme pour un valet ! » se dit-elle tout d'abord pour ensuite oublier le motif de sa venue : son mariage. Surprise par l'amour, elle ne sait plus où elle en est : « J'avais de mon côté quelque chose à te dire ; mais tu m'as fait perdre mes idées [...] » Dorante, pour sa part, fait la même découverte : une suivante peut avoir des airs de princesse. L'amour vient bouleverser un ordre qui, quelques instants auparavant, paraissait immuable.

Élucidation de soi-même. Le trouble qui, soudain, envahit les deux jeunes gens les pousse à s'interroger sur eux-mêmes. Dans cette scène, nous sommes loin de la Silvia qui pensait manœuvrer aisément le serviteur de celui qu'on lui destine comme mari. Au début de la scène, elle ne pense qu'à s'instruire au sujet de son fiancé ; à la fin, elle découvre qu'elle n'est pas parvenue à échapper au badinage du prétendu valet. Malgré sa résolution, elle n'est pas partie. Dorante/Bourguignon la préoccupe déjà plus que Dorante/Arlequin. Elle a non seulement découvert la complexité du monde, mais aussi la sienne propre. Cette fois encore, il n'en va pas autrement pour Dorante lui-même. Il se rend compte, beaucoup plus rapidement que Silvia, que le monde n'est pas un univers borné, clos mais, qu'au-delà du cercle restreint de sa caste, il existe des êtres véritables. Il s'aperçoit que – quoi qu'il en dise – il peut être amoureux d'une fille sans condition. Lui aussi découvre que le monde n'est pas fait que de jeunes aristocrates, et que l'humanité est bien plus vaste qu'il ne le croyait.

Élucidation de l'autre. Ce premier ébranlement de leur être qu'est la révélation du sentiment amoureux conduit les deux jeunes gens à sortir d'eux-mêmes. Ils sont, tous deux, imprégnés de leur esprit de caste, de leur amour-propre ; or, à la faveur d'un déguisement, ils découvrent l'autre. Ce ne sont pas deux jeunes nobles déguisés en domestiques qui se parlent, ce sont déjà, sans qu'ils le sachent, deux âmes qui dialoguent, parce qu'elles se sont reconnues dans leur langage. Le marivaudage, plus qu'un simple badinage, est une reconnaissance de l'autre dans le pétillement des répliques.

Dans cette scène, insensiblement, les deux protagonistes accèdent à l'existence. Jusqu'à leur rencontre, ils n'étaient que ce que la naissance avait fait d'eux : un « je » pâlot perdu dans le « nous » commun. Par le jeu du marivaudage, ils se dégagent de la gangue sociale pour devenir, petit à petit, eux-mêmes. De la naissance, ils passent à l'existence.

ACTE I, SCÈNE 8

RÉSUMÉ

Entrée d'Arlequin, alors que Dorante et Silvia n'ont pas quitté la scène. Son arrivée va, jusqu'à la fin de l'acte, changer le ton de la pièce. Dorante est entré chez Orgon en faux valet, fin et raffiné ; Arlequin y fait son apparition en véritable valet de comédie : c'est un rustre et un matamore. Il tente de se glisser dans la peau d'un maître tel qu'il le conçoit. Il ne fera, par son ton méprisant, que blesser Dorante. Dans la maison d'Orgon, alors que tout le monde vit au rythme de l'épreuve à laquelle chacun soumet les autres, il se conduit comme en territoire conquis : il n'est question que de **son** beau-père ou que de **sa** femme. Il traite Silvia comme une soubrette agréable à regarder, comme une inférieure qui n'a d'intérêt que par son joli minois. Pris par son rôle, il ne pense qu'à sa prestance et à l'effet qu'il produit sous son nouvel habit : celui d'un jeune noble, mais dont – il l'oublie – il n'a pas l'éducation. Silvia, après avoir découvert un valet très aimable, fait la connaissance d'un futur mari détestable. Elle ne peut se défendre, dans un premier temps, que par l'ironie, et se demander à la fin de la scène pourquoi le sort est si bizarre : « aucun de ces deux hommes n'est à sa place ». Elle avoue, dans cette dernière réplique, toute sa déception. La réalité semble lui donner raison, mais la réalité n'est ni le jeu ni le hasard.

COMMENTAIRE

La comédie italienne

Avec Arlequin qui en est un personnage traditionnel, ce sont la farce et le théâtre italien qui entrent en scène. Dans le Paris du XVIIIe siècle, les acteurs italiens sont adulés par le public. En un siècle qui voue un culte à la scène, ils incarnent la spontanéité, le sens du jeu et de la mise en scène. Ils correspondent à ce que le bon peuple parisien, mais aussi le « tout-Paris », demande au théâtre depuis Molière : se distraire, s'amuser et rire. Sans cette touche italienne, Marivaux, qui sait fort bien ce que ses pièces peuvent avoir de précieux, de raffiné, ne serait peut-être pas devenu aussi populaire.

La tradition à laquelle se rattache Arlequin est ancienne. La Comédie-Italienne ou *commedia dell'arte* apparaît en Italie vers le XVIe siècle. Contrairement au Théâtre-Français qui se fonde essentiellement sur le texte, elle se caractérise par l'improvisation d'acteurs stéréotypés et l'utilisation du masque. L'un de ses personnages les plus prisés est celui d'Arlequin : malin, hâbleur, vaniteux et imbu de lui-même. Dans le *Jeu*, c'est lui qui incarne le comique traditionnel. L'autre domestique, la suivante Lisette, s'inscrit, elle, dans une nouvelle lignée de serviteurs : ceux qui savent être les égaux de leur maître. Lisette, en plus timide, est la sœur du Figaro de Beaumarchais. Le personnage d'Arlequin, personnage traditionnel de la farce italienne, donne son caractère comique à cette pièce psychologique qu'est le *Jeu de l'amour et du hasard*.

Le comique de la scène

À première vue, il tient en peu de chose. C'est du comique de farce traditionnel : l'entrée en scène d'Arlequin suffit à faire rire le public. On le connaît, on l'aime, on attend son entrée, accompagnée de rodomontades et de vulgarité. S'il s'en tenait là, Marivaux serait bien inférieur au Molière des *Fourberies de Scapin* ; mais, chez lui, la farce colle au fil de l'intrigue, elle se double de l'inquiétude des principaux personnages. En effet, elle est entrelacée aux émois de Silvia et de Dorante : derrière la grossièreté d'Arlequin, on entend les battements de cœur de Silvia et de Dorante. Les masques ne rendent pas les rôles interchangeables, mais, au contraire, ils accentuent les différences, aiguisent les incertitudes et faussent les règles du jeu ; ce qui, avec le personnage d'Arlequin, n'aurait dû être qu'un comique de farce, devient un comique grinçant. Les deux héros de la pièce se trouvent embarqués dans une comédie qu'ils n'avaient pas prévue. Le masque est dangereux pour ceux qui l'expérimentent : ils y risquent leur existence.

Marivaux et la maîtrise des registres de langue

Cette scène est un parfait exemple du brio avec lequel Marivaux sait jouer des différents registres de langue. Alors que Silvia et Dorante utilisent une langue châtiée et syntaxiquement correcte, Arlequin trahit ses origines par la maladresse de son langage. Gauchement, il applique le participe « mariés » à la fois à Silvia et à son père. Le terme même de « beau-père » sent son homme du peuple : c'est en effet une expression qui, dans la bonne société du XVIIIe siècle, appartient au registre de la familiarité. Enfin, Arlequin est incapable de saisir ce qui est dit au second degré : lorsqu'il demande s'il a des chances de plaire, Silvia ironise en le déclarant « plaisant », autrement dit ridicule. Arlequin, évidemment, ne comprend le terme qu'au sens premier : celui de séduisant. Mais, chez Marivaux, la virtuosité des dialogues ne doit jamais faire oublier un élément très théâtral, que l'on pourrait appeler le langage parallèle : le jeu physique des acteurs. Dans cette scène, par exemple, Arlequin révèle la modestie de ses origines autant par la gaucherie de son langage que par sa façon maladroite de porter des vêtements qui ne sont pas ceux des gens de sa condition.

ACTE I, SCÈNES 9 ET 10

RÉSUMÉ

Après la scène à trois entre Silvia, Dorante et Arlequin, le maître et le valet se retrouvent face à face. Arlequin est content de lui ; Dorante est ulcéré de la façon dont son valet s'est conduit. Celui-ci lui a pourtant servi de faire-valoir ; il a été l'acteur, sans le savoir, d'une mise en valeur de son maître, lequel ne s'en rend pas compte parce que, comme tout bon personnage marivaudien en proie à l'amour, il ne sait plus où il en est.

Dans la scène 10, nouvelle entrée de M. Orgon. Dorante et Arlequin n'ont pas quitté la scène. Orgon, sans être dupe, joue de nouveau la comédie sociale. Il accueille Arlequin comme un homme de qualité. Nous sommes ici dans une scène de parodie* : le valet copie maladroitement le maître. Après avoir fait, à la scène 8, une entrée fracassante selon la tradition italienne, il continue à jouer les fanfarons. La scène et l'acte se terminent sur l'annonce, par Orgon, de l'arrivée prochaine de Lisette/Silvia.

COMMENTAIRE

Un valet fanfaron

Après le fracas de son apparition à la scène 8, Arlequin continue à tenir son rôle de jeune noble sans parvenir, cependant, à se défaire de sa vraie personnalité. Tous les ingrédients qui composent habituellement son personnage sont réunis dans ces deux dernières scènes de l'acte I. La jovialité d'abord : en effet, Arlequin est un personnage qui ne perd jamais sa bonne humeur. Les traits d'esprit cousus de fil blanc, comme lorsqu'il se déclare le serviteur de M. Orgon, en jouant sur l'ambiguïté de la situation, sont coutumiers de son rôle. C'est aussi un personnage dominé par ses pulsions : alors qu'il vient juste d'arriver chez celui qui est censé devenir son futur beau-père, il est déjà question de ripailles : Arlequin est un personnage qui ne refusera jamais de trinquer. Enfin, toujours dans le droit fil de la tradition italienne, il prend des postures grotesques : on est « si mal bâti » quand on arrive de voyage. Cependant, au-delà de son rôle de bouffon, il est un élément essentiel de l'action. Tout d'abord, il sert de faire-valoir à son maître ; ensuite, dans un jeu qui commençait à prendre une certaine gravité, il introduit un élément de comique attendu par le public ; enfin, miroir grotesque de Dorante, il contraint ce dernier à s'interroger sur lui-même et à commencer de s'apercevoir qu'il ne sait plus où il en est. L'acte I se termine sur un sommet de l'art théâtral de Marivaux : sous le joug de l'amour naissant, le personnage qui l'éprouve commence à perdre tous ses repères.

La conclusion de l'acte

Avec l'entrée d'Arlequin et ces trois dernières scènes, se conclut un acte rondement mené. Dans une pièce où il joue un si grand rôle, rien n'a été laissé au hasard. Dans les premières scènes, le jeu se met en place : chacun pense qu'il va avoir barre sur l'autre, percer son secret, mettre à jour sa personnalité. Puis le hasard s'en mêle : le scénario imaginé par l'une se double de celui imaginé par l'autre ; les deux promis ont eu la même idée : se travestir pour s'étudier, s'observer. Arrive ensuite le déclenchement véritable de la supercherie avec l'entrée en scène d'Arlequin, et rien ne va plus. L'intrigue est en place. Tous sont dans l'imbroglio*.

ACTE II
COMMENTAIRE GÉNÉRAL

L'aveu de Dorante

L'acte premier était celui de la surprise de l'amour. L'acte II est celui des passions qui s'exacerbent. Les quatre personnages, chacun avec sa personnalité et son caractère, sont amoureux. Ils sont tous, pareillement, pris au piège du travestissement en pensant aimer un être d'une autre classe sociale que la leur. Il en est un qui s'en arrange aisément, c'est Arlequin : sa fatuité le dispense de tout état d'âme. Il en va différemment pour les trois autres. Lisette, loyale, craint d'abord de trahir sa maîtresse ; elle se confie à Orgon, qui lève ses scrupules. Dès lors, elle se laisse, avec plaisir, courtiser par Arlequin : les valets vont plus vite en amour que les maîtres. Les rapports entre Silvia et Dorante sont autrement plus complexes. L'amour-propre sème des embûches sur le chemin de leur union. Cependant, Dorante rendra les armes le premier : à la fin de l'acte, il avouera à Silvia – qu'il prend toujours pour une servante – qu'il l'aime et qui il est. L'aveu de Dorante, c'est le triomphe de Silvia. Certains critiques ont écrit que la pièce aurait pu se terminer à la fin de l'acte II ; c'est ne pas tenir compte de la mentalité du temps. Certes, il est difficile, même pour un homme, de faire une mésalliance*, aussi Dorante avoue-t-il son amour, mais sans faire de demande en mariage. Silvia décide aussitôt de ne pas se démasquer et de pousser plus loin l'épreuve car elle veut éprouver la profondeur des sentiments de Dorante et s'assurer la soumission complète de celui-ci. L'acte III se justifie donc pleinement dans l'action dramatique. Vouloir en amputer la pièce reviendrait à la dénaturer complètement : il faut que les personnages aillent jusqu'au bout de l'épreuve, sans laquelle ils ne peuvent être totalement eux-mêmes tant au regard de l'autre qu'à leurs propres yeux. Un troisième acte doit donc succéder au deuxième.

ACTE II, SCÈNES 1 ET 2

RÉSUMÉ

L'acte II s'ouvre sur une rencontre entre Orgon et Lisette, que l'on n'avait plus revue depuis son déguisement. Gênée, elle aborde Orgon et tente à mots couverts de lui avouer qu'Arlequin – qu'elle prend toujours pour Dorante – est amoureux d'elle et qu'il risque fort, si son mariage avec Silvia n'a pas lieu rapidement, de se tourner vers sa servante. Rire moqueur d'Orgon, qui encourage Lisette à continuer de tourner la tête d'Arlequin/Dorante. Devant la surprise de celle-ci, il va même jusqu'à lui dire de ne pas craindre de l'épouser. Après cette première partie de la scène consacrée aux amours de Lisette et d'Arlequin, la conversation se porte sur celles de Silvia et de Dorante. Orgon s'informe de leur déroulement auprès de Lisette, qui sait peu de choses, mais qui a remarqué que Silvia semblait peu attirée par Arlequin/Dorante ; Orgon lui ordonne également de continuer le jeu en ajoutant qu'il a ses raisons pour cela. Insidieusement, il questionne Lisette sur Dorante et Silvia ; il apprend ainsi, avec plaisir, qu'en secret les deux jeunes gens soupirent l'un pour l'autre. À la fin de la scène, il recommande à Lisette de dire à sa maîtresse qu'elle soupçonne le valet de vouloir supplanter son maître.

La scène 2 est une scène de transition ; pourtant, le jeu continue puisque, malicieusement, Orgon recommande à Lisette et à Arlequin de se courtiser avant le mariage. Il reste toujours le maître du jeu.

COMMENTAIRE

Une scène en miroir : la scène 1

Cette scène, par une sorte d'effet de miroir, est un condensé de l'action de toute la pièce. Dans une première partie, nous assistons aux amours de Lisette et d'Arlequin. Tout marche très vite entre les deux valets, Lisette le dit franchement à Orgon : elle prédit que le soir même Arlequin l'aimera et qu'au matin suivant elle sera adorée. Les valets, en effet, ne s'embarrassent pas d'amour-propre : ils se plaisent, ils s'aiment. De l'autre côté du miroir, tout va plus lentement : en même temps qu'ils découvrent l'amour, les maîtres doivent surmonter leur amour-propre qui est un frein à l'expression des sentiments. Chez eux, ce que la bouche ne peut dire crûment, c'est le corps qui l'exprime. Ainsi Lisette donne-t-elle à Orgon la description de deux amoureux transis, ce qui ravit le vieil homme. Il constate avec plaisir que les deux jeunes gens s'aiment déjà, mais qu'ils ne peuvent se l'avouer. Cependant, leurs rougeurs et leurs soupirs sont de bon augure. Ils finiront bien par se dire leur amour, si on leur en donne le temps. Le jeu doit se poursuivre.

Une scène où l'honnêteté se mêle au comique

Cette scène démarre comme une scène sérieuse : Lisette est embarrassée, la longueur alambiquée de sa première réplique le prouve. Elle craint d'être réprimandée par M. Orgon, car elle croit prendre une place qui n'est pas la sienne dans le cœur d'Arlequin/Dorante. Elle est même prête à arrêter le jeu qui lui semble devenir dangereux. Elle fait preuve d'honnêteté, et d'autant plus qu'elle éprouve une certaine fierté à avoir séduit un homme qu'elle pense être de qualité. Si elle l'épouse, sa fortune est faite : fortune amoureuse, mais aussi fortune tout court. Néanmoins, elle est honnête, comme savent l'être les personnages marivaudiens : on se travestit, mais on ne trompe pas.

Cette rencontre entre Orgon et Lisette, qui aurait pu être orageuse, tourne tout à fait au comique dans la manière de Marivaux. Comique qui tient essentiellement au langage et, tout d'abord, au langage à double sens. Quand Lisette dit à Orgon qu'elle manque à « toutes les règles de la modestie », ce terme peut être entendu de différentes manières. D'abord, elle pense qu'elle manque de modération en prétendant qu'elle a rendu fou d'elle un homme qui ne lui est pas destiné par la situation sociale qu'il occupe, alors qu'Orgon s'en félicite (intérieurement, il s'amuse de l'embarras de Lisette). Ensuite, autre manquement à la modestie, elle a, plus ou moins consciemment, le sentiment de surpasser sa maîtresse en charme et en séduction, et l'avouer devant le père de cette dernière n'est pas sans risques ; là encore, Orgon s'amuse. Enfin, sa tête s'enfièvre à l'idée de la conquête : si elle laisse les choses aller comme elles vont, elle fera des ravages ; une fois de plus, Orgon se réjouit et lui conseille de ne pas tenir ses charmes en laisse : « Renverse, ravage, brûle, enfin épouse ; je te le permets, si tu le peux », lui dit-il. À cette réplique, la tête lui tourne, elle se sent sûre de sa victoire et fière d'avoir fait prisonnier le cœur d'un jeune noble. Le comique tient évidemment au fait que, comme tous les autres personnages, elle ignore qu'elle est manipulée par Orgon. Mais le comique réside également dans la fausse incompréhension qu'Orgon oppose à ses scrupules et à ses explications. Il joue avec elle au chat et à la souris, il tient les rênes de la machination et prêche le faux pour savoir le vrai. Lisette, dans cette scène, est à la fois dupée et heureuse ; elle aussi se perd dans le jeu.

Deux conceptions de l'amour : l'italienne et la française

Outre ses effets comiques, l'intérêt de cette scène est qu'elle s'organise en deux grandes parties, qui opposent deux conceptions de l'amour. Dans une première partie, jusqu'à ce que Orgon permette à Lisette d'épouser celui qu'elle croit être Dorante, c'est une passion pleine de flamme et de vie qui s'exprime, une passion qui ne peut plus se contenir. Cet amour, Lisette le vit avec une fougue tout italienne. Orgon ne s'y trompe pas : il sent bien que cet amour ne demande qu'à s'épanouir rapidement. En revanche, dans le portrait que Lisette trace de sa maîtresse, ainsi que dans celui qu'elle fait de Dorante, c'est la description d'un amour contenu qui nous est proposée. Tout n'y est que soupirs, regards et rougeurs. À la passion à l'italienne s'opposent la retenue et la pudeur françaises. Ce qui aurait pu être un cliché est en fait un élément important de l'action dramatique : en effet, il faut que l'amour des valets avance vite pour que celui des maîtres puisse enfin devenir réalité.

ACTE II, SCÈNE 2

RÉSUMÉ ET COMMENTAIRE

Quoique courte, la scène 2 prolonge le ton comique ainsi que le discours à double sens de la précédente. Comme toujours, Arlequin fait une entrée de valet de comédie italienne, content de soi, dans l'emphase, heureux de vivre et sûr de lui. Il ne doute nullement de son pouvoir de séduction et n'est pas loin de penser que, lui aussi, fera un mariage inespéré. La familiarité avec laquelle il traite Orgon en est la preuve. Orgon s'amuse toujours et se délecte de l'équivoque lorsqu'il souhaite à Lisette et à Arlequin de s'aimer : il sait bien que si leur mariage se fait, ce sera celui de deux serviteurs.

ACTE II, SCÈNE 3

RÉSUMÉ

Très bref moment d'intimité entre Arlequin et Lisette. Le valet de Dorante en profite pour faire sa cour à celle qu'il croit toujours être la fille du maître de maison. Dans son empressement amoureux, il se livre à une parodie de la préciosité* qui tourne au burlesque*. Lisette, malgré tout, demeure méfiante : qu'un jeune noble s'éprenne ainsi d'une servante l'étonne encore. Dorante entre en scène et met fin à ce duo burlesque.

COMMENTAIRE

Une parodie burlesque de l'amour précieux

Pour faire sa cour à Lisette, Arlequin emploie des formules ridicules qu'il pense être de mise dans une telle situation. Il manie, en particulier, l'hyperbole* et la métaphore*. En lui prêtant cet emploi saugrenu et burlesque de la langue, Marivaux s'inscrit dans une tradition qui remonte aux *Précieuses ridicules* de Molière. La préciosité, en effet, n'est plus dans le goût du XVIIIe siècle et, en la parodiant, Marivaux souligne la balourdise, la maladresse et la stupidité d'Arlequin.

La préciosité

Le ton précieux est celui qu'Arlequin s'imagine devoir employer pour séduire une jeune fille de la noblesse. Son manque d'urbanité, d'éducation fait qu'il ne se rend pas compte du caractère grotesque et dépassé de son langage. Depuis le début du XVIIIe siècle, les écrivains réagissent contre les excès précieux du siècle précédent. L'adjectif *précieux* signifie « qui a du prix, qui est de qualité », et la préciosité, au départ, est une tentative pour rendre les rapports sociaux plus conviviaux, plus policés, plus raffinés. Très vite, ce souci de raffinement s'étend à la littérature et particulièrement à la littérature amoureuse. Déjà chez Molière, on se moque des outrances langagières des précieuses, qui veulent bannir le style bas, populaire, trop cru, de leur conversation. Dans le domaine amoureux et dans le langage de la galanterie les précieux éviteront tous les termes trop concrets en les remplaçant par des métaphores ; ce qu'ils recherchent, c'est la distinction dans le langage et les rapports sociaux. Cette recherche débouche sur deux types d'individus : celui de « l'honnête homme » et celui de la précieuse ridicule, dénoncé par Molière. L'idéologie précieuse est en outre une affaire de femmes, au point qu'aujourd'hui on peut voir dans la préciosité un ancêtre du mouvement féministe. Arlequin n'est évidemment pas féministe. Il ne retient de la préciosité que son aspect ridicule et parodique. Trouve-t-il une métaphore, bien banale, qu'il la file jusqu'au bout : l'amour est au berceau, puis devient grand garçon ; Lisette est sa mère. Les yeux de Lisette sont personnifiés et deviennent des « filous » ; l'humilité, terme abstrait, est personnifiée, ce qui est encore un trait de préciosité. Cette façon de s'exprimer est désuète à l'époque où Marivaux écrit sa pièce, et provoque le rire du public. Mais elle devient surtout comique par son exagération : Arlequin force tous les traits dans l'espoir que son style noble éblouira Lisette alors qu'il ne déploie qu'une maladresse ridicule.

Les jeux de scène

Le théâtre marivaudien – du moins en ce qui concerne le *Jeu* – est un théâtre sans didascalies*, sans indications scéniques, en début ou en cours de scène. Cette absence tient sans doute au souci qu'avait Marivaux de laisser aux acteurs une entière liberté de jeu, comme dans la comédie italienne ; mais elle tient surtout au fait que, chez Marivaux, c'est le langage qui tient le premier rôle. Il faut donc imaginer, à côté du grotesque du langage précieux d'Arlequin, l'extravagance de ses mimiques. Personnage de la *commedia dell'arte*, Arlequin est à la fois acteur et pantomime ; aujourd'hui nous dirions qu'il est un clown. Son comportement ajoute encore au comique de cette scène. Lorsqu'il baise la main de Lisette, c'est avec une avidité toute sensuelle et triviale. Une comparaison, aussi maladroite que ses métaphores filées, situe les sentiments amoureux d'Arlequin : la main de Lisette le « réjouit comme du vin délicieux ». Chez Arlequin, rien ne dépasse le niveau du ventre. C'est cette distance entre la bassesse de ses appétits et sa prétention au style précieux qui est à l'origine du comique de cette scène.

ACTE II, SCÈNE 4

RÉSUMÉ

Encore une scène de transition, mais qui prolonge le caractère de farce de celle qui précède. Dorante entre en scène et demande à Arlequin de s'entretenir avec lui. Arlequin, tout à son rôle, le traite de très haut. Bien mal lui en prend : Dorante lui expédie quelques coup de pieds bien placés et sort de scène.

COMMENTAIRE

Dans cette scène très courte, la farce continue dans la plus pure tradition de la comédie. Dorante, excédé, maltraite son valet en lui appliquant non plus des mots, mais des coups de pied. Ici non plus, aucune didascalie n'indique le jeu de scène, mais la tradition veut que le pied de Dorante atteigne Arlequin dans la partie la plus charnue de sa personne ; ce qui ne fera qu'ajouter au comique du début de la scène suivante, dans laquelle Arlequin reprend sa cour comme si rien ne s'était passé.

ACTE II, SCÈNE 5

RÉSUMÉ

Lisette et Arlequin se retrouvent de nouveau seuls. Cette fois-ci, le ton change : il devient moins ampoulé, plus sincère. Arlequin dit à Lisette que sans l'intervention de Dorante, il lui aurait dit de belles choses, et il s'inquiète de savoir si son amour est partagé. Prudente, Lisette lui retourne la question. Arlequin insiste et Lisette avoue : oui, elle aime celui qu'elle prend toujours pour Dorante. Être aimé par une femme de condition, par celle qu'il pense être Silvia ! Arlequin n'en croit pas ses oreilles. Tout ceci est si « admirable » que les deux amants deviennent prudents, chacun pensant de son côté que tout risque de s'écrouler lors du dévoilement de la supercherie. En proie à leur passion, et parce qu'ils ont mauvaise conscience de se mentir l'un à l'autre quant à leur identité, ils se jurent qu'ils s'aimeront au-delà de toute considération sociale. Perrette ou Margot, Lisette sera toujours la princesse d'Arlequin.

COMMENTAIRE

Un théâtre de la reconnaissance et de la sincérité...

Alors que le masque est le symbole de la fourberie, le théâtre de Marivaux est un théâtre de la sincérité. En effet, le travestissement n'y est jamais qu'un instrument de lucidité, de recherche de soi-même et de l'autre. La scène 5 de l'acte II est, à cet égard, tout à fait représentative. Comme le font de leur côté Silvia et Dorante, malgré leur déguisement, Lisette et Arlequin se reconnaissent. En s'avouant leur amour, ils se disent qu'ils sont nés du même côté de la société : celui des valets. Ils se le disent, évidemment, de façon oblique, indirecte, puisque l'action de la pièce leur interdit de révéler leur véritable identité. Si Lisette/Silvia est Margot, elle sera néanmoins la princesse d'Arlequin ; Lisette, pour sa part, avoue que, quelle qu'eût été la condition sociale d'Arlequin, c'est lui qu'elle aurait choisi. Au-delà de la surprise d'être aimé par un être qu'ils pensent appartenir à une autre classe, ils se sont reconnus avant même de pouvoir l'affirmer au grand jour. Le sens de l'appartenance sociale et les sentiments sont plus forts que le jeu, plus forts que le masque. Ici, le hasard est remis en question : il n'y en a pas dans la reconnaissance de l'autre. Cette reconnaissance, encore inconsciente, entraîne une sincérité qui n'est pas toujours de mise dans la comédie. Chez Marivaux, le masque ne sert pas à flouer, à tromper l'autre, mais à le connaître pour, enfin, lui dévoiler la vérité de ses sentiments : de voile, le travestissement devient révélateur.

... qui reste malgré tout dans le registre comique

Avec Arlequin, Marivaux utilise pleinement les registres de la Comédie-Italienne et notamment la balourdise du personnage, mais cette fois-ci tempérée par la sincérité dont font preuve les deux valets. Il lui faut, dans le même moment, montrer la foi qu'il a en l'homme et faire rire son public. Et il y réussit très bien. En effet, Arlequin demeure dans le registre comique mais s'humanise, en perdant de sa fausse superbe, lorsqu'il avoue son amour pour Lisette. Il n'en reste pas moins le personnage comique de la pièce, l'Arlequin traditionnel de la Comédie-Italienne. Il est toujours dans l'hyperbole* : il « brûle », et « crie au feu », pour exprimer son amour. Il se prosterne devant la bonté de Lisette, il en est ébloui. Enfin, il se rend ridicule par son allusion aux « fautes d'orthographe » que l'on aurait pu faire à son propos, alors qu'il veut parler de sa fausse identité. Cependant, pour une fois dans cette scène, il est touchant : la comédie marivaudienne ne tourne jamais très longtemps à la farce.

Une scène capitale pour l'action

Cette scène où se rencontrent une nouvelle fois Arlequin et Lisette ne double pas la scène 3 où les deux serviteurs s'étaient déjà retrouvés en duo. Elle fait progresser l'action et annonce l'aveu de la scène 6 de l'acte III.

En effet, les sentiments que les deux personnages éprouvent l'un pour l'autre avancent rapidement. Au « Tenez, je vous aime, moi » d'Arlequin répond, en écho, le « Monsieur, je vous aime » de Lisette. À la fin de la scène, ils s'avouent mutuellement leur adoration et se disent à demi-mots qu'ils ne sont peut-être pas ce qu'ils ont l'air d'être. Pour eux, désormais, tout est presque joué. Le troisième acte sera celui de Silvia et de Dorante.

ACTE II, SCÈNE 6

RÉSUMÉ

La scène 6 de l'acte II est une courte scène qui fait écho à la scène 4 du même acte. En effet, Silvia vient interrompre le duo amoureux entre Lisette et Arlequin comme Dorante l'avait déjà fait deux scènes auparavant. Silvia, la pseudo-Lisette, veut parler à sa servante. Arlequin, qui, précédemment, a été rudoyé par son maître, prend sa revanche en traitant Silvia de haut. Lisette, cependant, accède au vœu de sa maîtresse et se retire avec elle.

COMMENTAIRE

Une fois de plus, nous constatons que même une très brève scène n'a rien de gratuit dans le théâtre de Marivaux. Cette scène 6 de l'acte II est une des nombreuses scènes en écho de la pièce. Ce procédé dramatique permet à Marivaux d'une part de mettre en lumière les différences sociales : Arlequin ne parvient qu'à « singer » les aristocrates, et le ridicule de son langage, notamment, dénonce ses origines ; et d'autre part – au-delà, cette fois-ci, de la position que chacun occupe dans la société, de montrer au spectateur la progression identique du sentiment amoureux de chacun des deux couples. Enfin, la scène a également une importance psychologique puisque s'y renforce la répulsion que ressent Silvia pour le faux Dorante.

ACTE II, SCÈNE 7

RÉSUMÉ

Lisette et Silvia sont face à face et chacune retrouve son rang. Au début de la scène, Silvia exprime son dégoût pour Arlequin/Dorante et prend Lisette à témoin. La servante, froissée que l'on puisse parler avec mépris d'un homme dont elle est amoureuse, reproche à sa maîtresse d'être trop rapide dans son jugement. À partir de ce moment, les répliques de Lisette sont à double sens. En effet, lorsque Silvia demande à Lisette d'annoncer à Arlequin que le mariage ne peut se faire, celle-ci refuse. Elle se conforme ainsi aux ordres d'Orgon qui veut que le jeu continue pour éprouver sa fille et, en même temps, elle pense à elle-même. Colère de Silvia qui ne comprend pas le refus de sa servante. Lisette avoue alors à Silvia l'ordre qu'elle a reçu d'Orgon : ne pas détourner Silvia d'Arlequin. Après la colère, c'est l'étonnement. Silvia ne comprend pas pourquoi ce père si tolérant a donné un tel ordre à Lisette.

Lisette qui s'est contenue dans la première partie de la scène, alors qu'on la traite de folle et que l'on dénigre un homme qu'elle aime, contre-attaque. Vexée, elle demande à Silvia pourquoi elle éprouve une telle aversion pour celui qui doit devenir son mari. Réplique sèche et embarrassée de Silvia qui ne peut avancer le vrai motif de son dégoût : son amour pour le véritable Dorante. Fine mouche, Lisette va prendre sa revanche en dénigrant à son tour Dorante. Mise à la torture, Silvia est contrainte de prendre la défense du jeune homme et de reconnaître qu'elle l'estime. Désorientée et poussée à bout par les remarques de Lisette, Silvia fond en larmes. Comprenant qu'elle a trop livré d'elle-même, elle retrouve, pour faire bonne contenance, le ton de supériorité naturelle qui est le sien.

COMMENTAIRE

Vivacité du dialogue qui sert de moteur à l'évolution des sentiments, ironie de Lisette qui perce à jour le désarroi amoureux de Silvia, aveuglement volontaire de celle-ci : cette scène d'affrontement entre les deux femmes illustre admirablement la manière et l'art de Marivaux.

Un dialogue entre deux femmes amoureuses

Cette scène est beaucoup plus qu'un dialogue classique entre une servante et sa maîtresse. Elle donne à voir l'affrontement entre deux femmes amoureuses, qui, si elles ne sont pas en position de rivalité – elles aiment chacune un homme que l'autre n'aime pas – n'en sont pas moins en opposition puisqu'elles sont conduites à défendre, l'une et l'autre, celui pour qui elles éprouvent de l'affection.

Dans ce débat vif et parfois agressif, les sentiments de Silvia vont se dévoiler. Son dégoût pour Arlequin/Dorante est bien évidemment une réaction de classe : elle sent confusément, sans pouvoir se l'expliquer, qu'il n'appartient pas au même monde qu'elle mais, surtout, elle a l'intuition que son dégoût lui est inspiré par l'attirance qu'elle ressent pour le pseudo-valet : Dorante. En outre, elle n'est pas loin de déceler le valet sous l'habit du maître et son orgueil de caste se manifeste notamment par les termes peu aimables dont elle use pour désigner Arlequin : « Cet animal-là, cet homme-là ». Tant que Silvia se borne à exprimer son dégoût pour Arlequin, elle reste à peu près maîtresse d'elle-même. Tout va se gâter à cause des réactions de Lisette qu'elle a froissée. Une première fois, lorsque Lisette laisse sous-entendre qu'Arlequin vaut peut-être mieux que ce qu'un examen sommaire laisse percevoir de lui, puis une seconde fois quand Silvia apprend les consignes de son père. Elle ne le sait pas encore mais, depuis le début de la scène, elle est en train de perdre...

Humiliée dans son amour, Lisette va s'appliquer à faire sortir sa maîtresse de ses gonds. Il suffit de trois brèves remarques de la servante pour que Silvia à la fois perde son sang-froid et se rende compte que, malgré elle, elle prend la défense de Dorante. Confusément, elle sent qu'elle se dévoile aux yeux de Lisette en même temps qu'elle se découvre aux siens.

Cette passe d'armes à fleurets mouchetés ne peut déboucher que sur un dialogue de sourds. En proie à une crise de nerfs, Silvia, même si elle se réserve le mot de la fin avec un argument d'autorité doublé d'une menace, aura été durant toute cette scène le jouet de Lisette. Cette dernière sait où elle en est, c'est ce qui fait sa force ; Silvia, elle, est perdue, elle est au point extrême de la faiblesse. Le jeu de l'amour a, l'espace d'une scène, inversé les rôles : ici, les deux femmes sont sans masque, mais Lisette domine psychologiquement sa maîtresse.

Aveuglement et lucidité

En effet, entre les deux femmes, la partie est inégale. L'une ne veut pas voir, l'autre regarde. Silvia ressent un amour qu'elle ne veut – et ne peut, par amour-propre – toujours pas s'avouer. Cependant, il est là, en elle. Elle est comme prise au piège : plus elle s'aveugle, plus elle se perd ; plus elle refuse l'évidence, plus l'amour l'assaille et moins elle domine la situation. À cet égard, la scène 7 de l'acte II est en quelque sorte le négatif, l'inverse de la scène 1 de l'acte I : cette fois, c'est Lisette qui est sûre d'elle-même et Silvia qui est égarée. De ce renversement de situation naît un type de rapports entre les deux femmes qu'affectionne particulièrement Marivaux : celui du double regard. En effet, Silvia se regarde et ne se reconnaît plus. Elle est devenue presque aveugle sur elle-même, tandis que Lisette, qui l'observe, est de plus en plus lucide quant l'état de sa maîtresse : elle a bien perçu que Silvia se débat avec un amour qu'elle voudrait refouler. Enfin, par un effet de retour, Silvia sent plus ou moins consciemment que sa servante l'a devinée et le regard que celle-ci porte sur elle l'empêche de s'aveugler totalement. Le regard de l'autre ne désarme jamais : il est au cœur de la pièce.

ACTE II, SCÈNE 8

RÉSUMÉ

Elle est occupée par un monologue* de Silvia, court mais très significatif de l'état d'esprit de l'héroïne. Celle-ci se répand en reproches contre sa soubrette, avoue son incompréhension et change de ton dès qu'elle aperçoit Bourguignon.

COMMENTAIRE

Comment ?

Presque tout le personnage de Silvia tient dans ce rapide monologue. D'abord par l'amour-propre et l'orgueil de l'héroïne : elle se sent avilie, comme dégradée, par le fait qu'une servante ait pu la deviner dans son être le plus intime. Avec l'orgueil et l'amour-propre cœxiste la tendresse, sans laquelle Silvia ne serait pas un personnage de Marivaux. Ce dernier, en effet, n'est pas seulement l'auteur léger que maints critiques ont voulu voir ; il est aussi un dramaturge qui sait créer des personnages complexes où s'allient la grâce et la gravité. De cette complexité naît toujours un « comment ? » L'« étrange chose » qui jaillit du cœur bouleversé de Silvia, c'est une interrogation qu'il faudra bien finir par admettre : comment peut-on aimer un valet ? Après la surprise de l'amour survient l'interrogation sur soi-même. Chez Marivaux, l'amour est une façon de se demander comment exister. Plus que de la grâce et de la légèreté, le sentiment amoureux, ici, dans sa phase de trouble, d'hésitation et d'atermoiements, est une source d'angoisse, un doute existentiel.

ACTE II, SCÈNE 9

RÉSUMÉ

Scène de rencontre entre Dorante et Lisette, scène centrale de l'acte. Dorante dit à celle qu'il prend toujours pour Lisette qu'il a à lui parler pour se plaindre d'elle. Silvia, en retour, lui demande qu'ils ne se tutoient plus. Aucun des deux n'y parviendra. Dorante laisse entendre que son départ est proche. Silvia, qui pense à Arlequin, lui rétorque que cela ne sera pas une grande perte. Évidemment Dorante prend la réplique pour lui. Elle lui déclare alors qu'elle ne l'aime ni ne le hait, qu'il doit lui être indifférent, à moins que la tête ne lui tourne. Détresse de Dorante. À mots couverts, Silvia lui avoue qu'elle éprouve pour lui un sentiment affectueux, mais qu'il faut en finir. Douleur de Dorante. Pour chasser l'émotion, Silvia lui demande ce qu'il avait donc à lui dire. Dorante reconnaît que ce n'était là qu'un prétexte et que ce qu'il voulait, c'était la voir. Il lui demande de lui laisser ce plaisir. N'obtenant pas de réponse, il lui adresse ses adieux, alors que tout dans sa conduite laisse présager un faux départ. Ils sont tous les deux bien proches de l'aveu. Pour se disculper, Dorante dit à Silvia qu'il ne cherche pas à la rendre amoureuse, « sensible » comme on le disait au XVIIIe siècle. En aparté, Silvia n'est pas loin de reconnaître que c'est déjà fait. À la fin de la scène, le faux valet lui demande de l'aider en le sauvant d'une passion dangereuse, puisque contraire à l'ordre social. Il le lui demande à genoux. Nous sommes bien près d'un dénouement.

COMMENTAIRE

Une scène où l'on s'attend au dénouement

Tout semble indiquer que la pièce va se terminer avec cette scène. Dorante annonce son départ dès les premières répliques, et Silvia lui signifie, par amour-propre, qu'elle ne le retient pas. L'intrigue semble dans l'impasse : la situation est bloquée. Emprisonnés dans leurs préjugés, les personnages n'ont plus qu'une seule chose à faire : se révéler leur identité ou se séparer, se taire définitivement.

L'inconscient est cependant plus fort que la conscience de classe, surtout chez Silvia : ce qu'elle ne voudrait pas dire se dit néanmoins, en aparté, voire s'énonce presque clairement lorsqu'elle répond à Dorante qu'elle ne lui interdit pas d'avouer que la tête lui tourne pour elle. En acceptant d'entendre cette déclaration, elle trahit en effet son trouble, son émoi amoureux.

Dorante, pour sa part, a ce qui devrait être le mot de la fin : il demande à Silvia de tuer l'amour qu'il sent naître en lui-même et qui est impossible. C'est un adieu qu'il croit définitif qu'il lui adresse à la fin de la scène. Le jeu des masques, qui devait être un moyen de connaissance de l'autre, tourne au fiasco : certes, on a appris à se connaître, mais on s'est menti en bouleversant l'ordre établi. Si le cœur ne se trompe pas dans l'identification de l'autre, la partie de cache-cache social brouille toutes les cartes.

Le jeu de la mauvaise foi et de la sincérité

Tout au long de la scène, Silvia et Dorante sont l'un et l'autre sur un même diapason, celui de la sympathie au sens étymologique du terme : ils éprouvent le même sentiment, même si Silvia s'efforce de le refouler. Car ils ne peuvent s'abandonner à l'amour sans trahir leur classe, sans remettre en question leurs préjugés : le masque se retourne contre eux. Prisonniers de ce faux-paraître et de l'imbroglio qui en résulte, bien que se trouvant tous deux en pleine crise psychologique – sentimentale et d'identité – ils ne réagissent pas de la même façon. Silvia s'enfonce dans la mauvaise foi pour tenter de décourager Dorante – mauvaise foi qui, d'ailleurs, s'adresse autant à elle-même qu'à Dorante. En cherchant à tromper Dorante, elle cherche aussi à s'abuser elle-même.

L'intérêt de la scène réside dans le fait qu'il faut être aveugle comme l'est Dorante pour ne pas percer la mauvaise foi de Silvia. Au contraire du jeune homme, en effet, le spectateur ne peut que sourire de la duplicité de celle-ci ; impossible de la croire lorsqu'elle affirme ne pas songer à Bourguignon. L'indifférence qu'elle proclame est également bien fragile, son « Finissons, Bourguignon ; finissons » est une prière plus qu'un ordre. Cependant, elle n'est pas complètement dupe de l'image qu'elle veut donner. De semi-aveux lui échappent : lorsqu'elle dit à Dorante qu'elle n'est « pas faite pour [se] rassurer toujours sur l'innocence de [ses] intentions », ou bien encore quand elle fait allusion à son état qui est tout aussi curieux que celui de Dorante. Par ces répliques, elle se dévoile, mais c'est un aveugle égaré qu'elle a en face d'elle. Dorante, pour sa part, choisit la franchise. C'est un être en crise qui ne peut plus retenir les mots ni badiner. Il lui faut dire son amour sous peine d'étouffer. Il est littéralement pris au piège à la fois de l'amour qu'il éprouve pour Silvia et du jeu de masques qui, depuis le début de la pièce, s'est instauré entre les deux jeunes gens. Il lui faut parler, mais non pas encore se dévoiler.

Cruelle naissance

Si cette scène prête à sourire, elle n'en est pas moins toute pleine d'émotion. Silvia, fidèle à la conduite qu'elle s'est fixée, cherche à annuler cette émotion durant tout son dialogue avec Dorante. Celle du jeune homme s'exprime avec passion mais bute sur l'éternelle question de la naissance. Pensant avoir en face de lui une servante, il ne peut, après lui avoir déclaré son amour, que prendre la fuite. Il pense être allé aussi loin qu'il le pouvait en avouant un sentiment qui ne peut se matérialiser dans le mariage ; amour et conscience de classe sont ici en contradiction aiguë. Silvia le sait bien, elle qui s'accroche – encore plus fort que Dorante – à son masque pour ne pas déchoir, pour ne pas s'abaisser à reconnaître qu'elle aime un homme de condition inférieure. Dans cette scène, l'amour-propre de l'un et de l'autre résiste donc encore à l'amour.

ACTE II, SCÈNE 10

RÉSUMÉ

Dorante est à genoux devant Silvia. Celle-ci, craignant qu'on ne les surprenne, est prête à dire à Dorante tout ce qu'il veut entendre à condition qu'il se relève. Elle lui dit d'abord qu'elle l'aimerait si elle le pouvait, elle lui dit même qu'il ne lui déplait pas. Étonnement du jeune homme. Face à cet étonnement, Silvia l'assure de ses sentiments : elle l'aimerait s'il était de condition. Arrive M. Orgon, qui encourage les deux jeunes gens à s'aimer. Il tient toutes les ficelles de l'intrigue, il joue son rôle de maître du jeu. À la fin de la scène, il demande à Dorante/Bourguignon de bien vouloir se retirer.

COMMENTAIRE

Le triomphe d'Orgon

Surprenant Dorante aux pieds de Silvia, Orgon sait qu'il a gagné. Il sait qu'il a mené le jeu de main de maître. Quant à Silvia, elle se trahit de plus en plus. Dans son trouble, elle passe d'un « tu ne me déplais point », a un « assurément » qui est une litote* pour « je t'aime ». Orgon est désormais sûr de son jeu.

Silvia et la « surprise »

Cette scène est pour Silvia celle de la « surprise ». Elle prend conscience qu'elle ne parvient plus à « en imposer » à Dorante/Bourguignon. À sa fille, Orgon répond par une réplique à double sens : « Vous vous convenez parfaitement bien tous les deux ». Il taquine les deux jeunes gens et leur dit clairement qu'ils s'accordent aussi bien par le sentiment que par la condition sociale, mais seul le spectateur peut le comprendre.

ACTE II, SCÈNE 11

RÉSUMÉ

Dans cette très longue scène, Silvia est quelque peu malmenée par son père et son frère. Celle-ci, en effet, se trouve dans une situation qu'elle aurait voulu absolument éviter : son père l'a surprise avec Dorante à ses genoux. Malicieusement, Orgon, qui a décidé d'exacerber les sentiments de sa fille, l'interroge sur son embarras. Piquée au vif, elle répond à son père qu'il se fait des idées. Mario, qui est présent, ne manque pas de revenir à la charge, immédiatement suivi par Orgon qui porte le fer dans la plaie en demandant à sa fille si c'est le faux valet qui lui monte la tête contre Arlequin/Dorante. Il pousse l'ironie, voire la cruauté, à qualifier Bourguignon de « galant ». Ce terme fait réagir Silvia qui commence à ne plus se contrôler et qui est excédée par les piques de son père et de son frère. Furieuse, elle affirme son entière antipathie à l'égard d'Arlequin et déclare qu'elle ne supporte plus son travestissement. Orgon, qui veut l'amener à reconnaître reconnaître son amour pour Dorante, lui demande de poursuivre le jeu. Mario, complice de son père, revient sur le sujet et feint de s'étonner du fait que le supposé valet n'ait pas nui à son prétendu maître auprès d'elle. C'est alors que Silvia s'enflamme de colère. Elle ne sait plus où elle en est et a le sentiment de frôler la folie. Elle ne comprend rien – ou plutôt ne veut rien comprendre – aux propos sybillins* que lui tiennent son père et son frère. Toujours fidèle à son plan qui est d'amener sa fille à avouer son amour pour Dorante, Orgon prétend que Lisette leur a appris qu'elle, Silvia, avait pris avec beaucoup de chaleur la défense de Dorante. Silvia s'emporte contre sa servante. Elle est contrainte de se justifier, mais avec de faux arguments puisqu'elle ne veut pas s'avouer la vérité. Elle est si perdue, si troublée qu'elle affirme ne pas être « tranquille ». Nous sommes loin du début du premier acte où, sûre d'elle-même, elle se voyait maîtresse d'un jeu qui devait lui assurer la suprématie sur le fiancé qu'on lui destinait. Tout ce qu'elle est en train de vivre dépasse les bornes, elle est « outrée », dit-elle, et elle ne peut s'empêcher de prendre le parti de Dorante. Son père, qui sent son extrême faiblesse, lui porte un dernier coup pour l'obliger à se dévoiler : il propose que l'on chasse Dorante de la maison. Il va même plus loin en justifiant ce renvoi par le fait que Dorante l'aime et que cela importune Silvia. Celle-ci, pour la seconde fois dans la scène, regrette amèrement son déguisement. Elle se sent prise au piège et étouffe littéralement quand son père et son frère lui rappellent qu'ils l'ont entendue dire à Bourguignon qu'elle l'aurait volontiers aimé si cela avait été possible. Le père et le fils poussent la jeune fille dans ses derniers retranchements. La scène se termine sur une phrase de Mario, comiquement prophétique, parce que Silvia ne peut en comprendre le double sens : elle épousera Dorante par amour. Réalisant qu'elle s'est compromise, Silvia n'a plus d'autre échappatoire que de demander, elle aussi, le renvoi de Dorante/Bourguignon.

COMMENTAIRE

Un hallali

L'hallali est un terme de chasse. C'est un cri que l'on pousse lorsque l'animal, aux abois, est sur le point de se rendre et de succomber. Tel est bien le cas de Silvia, chez qui toutes les défenses de l'amour-propre sont en train de tomber. À la fin de la scène précédente, elle était déjà bien proche de la défaite : ce que voulait entendre Dorante, elle en avait encore peur, mais elle désirait aussi se l'entendre dire. Habilement, pour relancer le jeu et la pièce, Marivaux s'est servi d'intrus, et non des moindres : les meneurs du jeu, Orgon et Mario. À eux deux, ils vont mener la jeune fille au bord de la crise de nerfs. Tout d'abord, ils vont faire mine de s'inquiéter du trouble de Silvia, puis ils la mettront en garde en garde contre Bourguignon : elle doit se méfier de lui, car il est hypocrite et ne cherche qu'à desservir son maître aux yeux de la jeune fille. Ils se posent en accusateurs. En meneurs de jeu astucieux, ils savent bien qu'une telle injustice fera sortir Silvia de ses gonds et l'amènera à prendre la défense de Dorante. C'est la préparation de l'hallali : épuiser ce que l'on pourchasse avant la capture finale. Orgon et Mario fragilisent d'abord Silvia en insistant sur son trouble, ensuite, ils s'attaquent nommément à Dorante.

Silvia est alors prise dans une alternative cruelle : ou bien, pour continuer à préserver son amour-propre, elle se désintéresse du sort de Dorante et accepte qu'on le congédie comme on le ferait d'un intrus ; ou bien elle prend sa défense et, ce faisant, se trahit. C'est la seconde voie qu'elle choisit. Dès lors, les deux chasseurs, Orgon et Mario, savent qu'ils ont gagné la partie : leur victime est là où ils voulaient la conduire et il lui faudra, sous peu, reconnaître qu'elle est amoureuse d'un jeune homme qui n'est pas de sa condition. À cet égard, la fin de la scène est un hallali crié à pleins poumons par les deux hommes. En effet, plus rien ne les retient et ils ne se gênent pas pour dire à Silvia qu'elle est amoureuse de Dorante. C'est surtout Mario qui mène le dernier assaut. Il rappelle à sa sœur qu'elle était, dans la scène précédente, bien proche de céder à Dorante et que leur intrusion, à lui et à son père, est tombée à pic. Mais surtout, il clôt la scène sur une savoureuse prophétie à double sens : Silvia épousera Dorante par amour. La jeune fille altière de l'acte I est devenue la proie désespérée et désorientée des deux meneurs de jeu. Ils jouent avec elle comme le chat avec la souris. Le théâtre de la grâce et de la légèreté se transforme, ici, en théâtre de la cruauté. Silvia prise au piège de l'amour et du social ne sait plus où donner de la tête et, pour se sortir d'affaire, n'a pas d'autre issue que de demander ce dont elle ne veut à aucun prix : qu'on chasse Dorante.

Une dupe : tel est pris qui croyait prendre

Cette scène est celle de la duperie : la manipulatrice est prise à son propre piège. Silvia, qui voulait dominer, contrôler les préparatifs de son mariage, qui souhaitait être le maître d'œuvre de sa vie de femme, n'est plus qu'une fille perdue, surprise et égarée par le surgissement de l'amour. Comme tous les amoureux de Marivaux, elle a perdu la tête, et pour au moins trois raisons. D'une part, son stratagème s'est retourné contre elle, comme il s'est retourné contre Dorante. D'autre part, elle est prisonnière de son masque, et elle a toutes les peines du monde à se cacher qu'elle aime un homme qui n'est pas de sa condition. Enfin, elle s'est jetée dans l'imbroglio* tissé par deux êtres qui lui sont proches, qui la connaissent et qui tirent toutes les ficelles de l'intrigue : son père et son frère. À aucun moment, elle ne peut se douter que ces deux-là conspirent, non pas contre elle, mais pour son bonheur. Tout est remis en cause : sa fierté de jeune fille noble, son amour-propre de femme « moderne », sa situation dans le monde – elle n'est plus aux yeux de certains qu'une soubrette – et la conviction qu'elle est capable de maîtriser souverainement les aléas de sa vie. C'est toute l'estime qu'elle peut se porter à elle-même qui s'effondre dans cette scène. Si elle se regarde en face, elle n'est plus rien à ses propres yeux : son monde, sa vie, son être se sont écroulés. Elle est la dupe parfaite, l'arroseur arrosé. Elle est prisonnière d'un déguisement dont elle a été l'initiatrice et qui désormais lui pèse comme une prison qui la nie elle-même.

Bien évidemment, ce qui est pour Silvia une source de désespoir, est, pour le spectateur – qui mène le jeu avec Orgon et Mario – la source d'un comique délicat. En effet, le public sourit lorsqu'il entend Silvia prendre la défense d'un domestique ; il sourit encore au double langage de Mario et d'Orgon ; il sourit enfin, mais en s'attendrissant, devant la défense maladroite de Silvia. Pourtant, derrière le sourire, pointe la cruauté : Silvia, prise au piège, accepte le congédiement de Dorante.

Une prise de conscience désespérante

Dans cette scène, Silvia est à la fois le jouet de sa propre machination et de la manipulation affectueuse des siens. Elle s'est jetée dans une entreprise qui maintenant la dépasse. Dans cette confrontation avec son père et son frère, qui ne lui épargnent rien, elle prend conscience qu'elle est enfermée dans une double nasse : d'une part, son déguisement, au lieu d'être une arme, se transforme en faiblesse ; d'autre part, sous les pointes ironiques de son père et de son frère, elle se voit contrainte – même si elle ne le formule pas – d'admettre qu'elle est amoureuse de Bourguignon. Ce qui était un jeu léger et gracieux devient une sorte de farandole cruelle, à l'issue de laquelle c'est elle, Silvia, qui devra prononcer l'arrêt fatal contre celui qu'elle aime : « [...] je veux qu'il sorte ».

ACTE II, SCÈNE 12

RÉSUMÉ

Au début de la scène 12, Silvia, défaite et malheureuse, se retrouve un instant seule avant l'apparition de Dorante. Elle dit sa tristesse et son trouble. Elle est affligée et a de plus en plus de mal à se laisser guider par son seul amour-propre, alors que l'amour veut prendre les rênes de sa sensibilité. Non seulement elle ne comprend plus le monde qui l'entoure, mais encore, elle est plongée dans une sorte de néant affectif : elle ne trouve de plaisir ni dans les autres ni dans elle-même. À vouloir trop dominer l'univers sentimental, elle se retrouve dans un désert affectif, où ni elle-même ni les autres ne la contentent. Elle se sent définitivement perdue, isolée, incomprise et inconsolable.

Entre celui qui est la cause de ce trouble, Dorante. Le jeune homme, une fois de plus, dit qu'il veut voir Lisette/Silvia. Désemparée, cette dernière ne peut que lui répondre qu'elle le fuit. N'a-t-elle pas demandé, à la fin de la scène précédente, qu'on le chassât ? Dorante la retient : il veut lui parler une dernière fois. Il pense toujours s'adresser à une servante. Silvia se refuse d'abord à tout dialogue, puis, par lassitude et aussi par amour, elle autorise Dorante à s'exprimer. Il lui annonce que ce qu'il va dire changera la face des choses et lui demande le secret sur les propos qu'il va tenir. S'il accepte de parler, c'est à cause de l'estime qu'il a pour Lisette/Silvia, pour une suivante qui a tant de noblesse. Avec cette avant-dernière scène du deuxième acte, nous quittons le marivaudage pour le registre sérieux. Les deux jeunes gens savent que ce qui est en jeu, c'est leur vie d'êtres aimants, leur vie future. Dorante lâche la phrase que l'on attendait depuis le début : « Je n'ai pu me défendre de t'aimer ». Premier aveu très vite suivi d'un second : « Ce n'est plus Bourguignon qui te parle ». Après cette révélation, Dorante déclare à Silvia, qui est bien placée pour le comprendre, combien son amour-propre a pu souffrir. Mais il se montre aussi quelqu'un qui, par noblesse, par honnêteté et par amour dépasse l'amour-propre pour dire son amour. Il apprend à Silvia qu'Arlequin n'est pas Dorante, mais un valet et qu'il est, lui, le véritable Dorante. Il lui révèle aussi qu'il avait imaginé le même stratagème qu'elle. Dans cet aveu, il abandonne tout son orgueil de classe : il aime la servante de la maîtresse qu'on lui destinait. Mais en même temps, ne pouvant se résoudre à épouser une fille qui n'est pas de son monde, il reste un jeune aristocrate. La double intrigue, le parallèle entre les deux couples : celui des maîtres et celui des valets, continue à jouer son rôle dramatique. Dorante est bon, Silvia est rusée : rassurée et sur elle et sur lui, elle décide aussitôt de continuer le jeu.

COMMENTAIRE

Enfin un aveu

Nous sommes à un moment capital de la pièce : Dorante, pourrait-on dire, passe aux aveux. Il dévoile son identité, ce qui est une façon de dire son amour et de le tuer en même temps, puisque toute union entre lui et Silvia, à cause de la différence de classe sociale, est impossible ; il n'en demeure pas moins qu'il a su honorer l'amour et surmonter en partie son amour-propre. Certes, il dit à Silvia qu'un mariage entre eux est impossible ; évidemment, il ne parvient pas totalement à dépasser les préjugés de sa classe, mais il a fait un chemin immense : il a déclaré son amour à une fille qu'il croit être du peuple. Dans ce jeu de l'amour et du hasard, il est le chevalier, le champion de l'amour : il a foulé aux pieds presque tous ses préjugés au bénéfice de l'amour. Il semble sortir vaincu du jeu de masques alors que, d'une certaine façon, il en est le vainqueur : il a eu la grandeur d'écouter l'amour au-delà des voix mesquines de l'amour-propre et du préjugé social. Entre son rang et son cœur, il a choisi son cœur, même si le code social de l'époque ne lui permet pas de proposer le mariage à Silvia qu'il prend toujours pour une servante. Du moins lui promet-il de lui demeurer fidèle.

« Ah ! je vois clair dans mon cœur. »

Silvia passe du désespoir au bonheur, de l'ombre à la lumière. Elle sait maintenant qu'elle ne s'était pas trompée : Dorante/ Bourguignon était digne de son amour. Sa machination, qui semblait se retourner contre elle, porte tout à coup ses fruits. Surtout, sans le savoir, et malgré la décision qu'elle prend de demeurer masquée, Dorante a refait d'elle une maîtresse. Maîtresse, elle l'est par la nouvelle donne du jeu, mais elle l'est aussi parce qu'elle sait désormais que le jeu se joue entre gens du même monde et que, lorsqu'elle ôtera son masque, c'est devant un égal qu'elle le fera, un égal qu'elle aura amené à une reddition sans conditions. Alors qu'elle avait senti le terrain se dérober sous elle et que, plus la pièce avançait, plus elle se sentait en état d'infériorité, maintenant, elle reprend part au jeu en pleine possession de ses moyens.

Un faux dénouement qui vient à point

Au XVIIIe siècle, certains critiques ont reproché à Marivaux de ne pas avoir arrêté la pièce à la fin de cette scène 12 du deuxième acte. Le troisième acte leur semblait être une pièce rapportée : Dorante s'étant dévoilé, Silvia n'avait plus désormais aucune raison de continuer à masquer son identité ; il lui suffisait d'accepter l'amour de Dorante pour que tout rentre dans l'ordre. Ce point de vue a pour origine une mauvaise interprétation du personnage de Silvia. En effet, durant tout ce deuxième acte, plus encore que Dorante, c'est elle-même que Silvia a observée. Certes, elle a essayé de se dissimuler ses véritables sentiments parce qu'ils la mettaient dans une position socialement difficile. Elle se trouvait, elle aussi, comme elle le dit à Dorante, dans une situation nouvelle, due à la perte progressive de tous ses points de repères, ce qui est particulièrement net dans la scène 11, scène d'hallali où elle est aux abois. Cependant, pour Silvia, ce deuxième acte a été celui de la découverte progressive de ses sentiments. À la fin de la scène 11, elle sait où elle en est et ne pourra plus se cacher qu'elle aime Dorante et que cela la met dans une position intenable. Maintenant qu'elle voit clair dans son cœur, qu'elle sait qu'elle peut aimer Dorante sans danger, il lui faut s'assurer de la solidité de l'amour du jeune homme, pour n'avoir aucun doute sur la profondeur de l'engagement qu'il prendra. En décidant de continuer le jeu, Silvia fait preuve, bien sûr, de coquetterie (qui est encore une forme d'amour-propre), mais surtout elle manifeste sa volonté d'être tout à fait certaine de ne pas s'aventurer dans un mariage qui tournerait un jour au désastre.

ACTE II, SCÈNE 13

RÉSUMÉ

Scène très brève servant de charnière entre l'acte II et l'acte III. Mario, qui s'inquiète pour sa sœur depuis la scène 11, vient à sa rencontre pour tenter de la rasséréner. Il trouve une Silvia complètement transformée et de nouveau maîtresse d'elle-même. La situation s'est renversée : cette fois-ci, c'est Mario qui est perdu. Lorsque Silvia parle de Dorante, il ne sait plus s'il s'agit du vrai ou du faux. Silvia, qui a retrouvé toute sa vivacité, entraîne Mario voir leur père mais, auparavant, elle lui demande de faire semblant de l'aimer un peu. Celui-ci, qui y perd son latin, se demande si sa sœur ne délire pas.

COMMENTAIRE

Mario ou l'arroseur arrosé

Cette scène est une scène classique de comédie, bien que très courte. Mario qui ne sait pas que Dorante a avoué sa supercherie ne comprend plus rien à l'attitude de Silvia qui, pour sa part, prend une légère revanche sur son frère en ne lui révélant pas ce qu'elle vient d'apprendre. Pour un bref instant, de dupeur, Mario est devenu dupe.

ACTE III
COMMENTAIRE GÉNÉRAL

L'acte où Dorante est malmené par tous

C'est dans cet acte que l'imbroglio* va se dénouer. Les couples vont pouvoir se former, et toutes les choses vont rentrer dans l'ordre. Cependant, cela n'ira pas sans mal pour Dorante, qui est maintenant manipulé par trois personnes à la fois : Silvia, Mario et M. Orgon. Pourtant, c'est Arlequin qui va commencer à le mettre à la torture. Alors que tout semble mal parti pour Dorante : son valet, dans la première scène de l'acte III, se pavane devant lui, tout fier de son prochain mariage ; tout se passe bien pour le valet qui est adoré – ce sont ses propres termes – par la prétendue maîtresse, qui n'est autre que Lisette ; mais Arlequin ne le sait pas encore et se croit promis à un beau mariage. Évidemment, ce discours ne peut que troubler Dorante : la soi-disant fille d'Orgon, celle qu'il aurait dû épouser, accepte un valet pour époux. Désabusé, Dorante donne son consentement à cette union. Dans la scène 2, c'est au tour de Mario de mettre Dorante à la torture. Suivant les consignes de sa sœur, il apprend à Dorante qu'il est amoureux de la fausse Lisette : il est même prêt à l'épouser. Décidément, Dorante ne voit autour de lui que mésalliances ; tous osent ce que lui n'ose pas : s'unir à un être d'une autre classe. Dans la scène 7, Arlequin revient à la charge. Il sait désormais à quoi s'en tenir sur le ballet des masques, il sait que Lisette est Lisette et que Silvia est Silvia. Il profite des derniers instants de son rôle de maître pour parler haut à Dorante, et user même d'ironie cinglante à la fin de la scène. Enfin, dans l'avant-dernière scène, la huitième, c'est Silvia qui va harceler Dorante pour qu'il renie son préjugé de classe et qu'il se rende pieds et poings liés à celle qu'il croit encore être Lisette. En bref, jusqu'à la dernière minute, il lui aura fallu gagner la reconnaissance de Silvia : avouer qui il était n'a pas suffi, il fallait encore dire la force et surtout la solidité de son amour. Silvia, même amoureuse, n'épouse pas sur un coup de tête.

L'acte des reconnaissances

L'acte III est celui des reconnaissances. Lorsque l'on parle de reconnaissance dans la comédie, il s'agit presque toujours d'une reconnaissance dite *deus ex machina** et qui, tombée du ciel, permet le dénouement d'une intrigue inextricable. Rien de semblable chez Marivaux où, si l'on se reconnaît, c'est qu'on a voulu se connaître ; si l'on se connaît, c'est parce que le ressort de la machine dramatique est mû par l'effort de lucidité de chacun des protagonistes, par la quête exigeante de savoir où l'on va. La reconnaissance des deux couples – Arlequin et Lisette, Dorante et Silvia – est le résultat d'un long cheminement. S'il est plus rapide chez les valets, il n'en est pas moins important : Arlequin et Lisette, même sur le mode parodique, sont amoureux l'un de l'autre, et souhaitent pouvoir s'aimer dans tous les sens du terme. Quant à Silvia et Dorante, leur reconnaissance fait l'objet de toute la pièce. Si les personnages arrivent à se reconnaître, c'est parce qu'ils parlent, et que le langage leur permet, petit à petit, de se comprendre et d'y voir clair. Même si ce que dit Arlequin est souvent grossier, voire grotesque, ce n'est pas par le seul langage de classe que Lisette et lui finissent par s'identifier : en effet, celle-là est assez fine pour reproduire le langage de sa maîtresse et celui-ci assez roué et astucieux pour emprunter le langage de son maître. S'ils se reconnaissent, c'est parce que dans la langue passe le sentiment, et que, chez Marivaux, par-delà toutes les mascarades, on parle d'abord en fonction de ce que l'on ressent. Si, parfois, le langage des uns et des autres peut être ressenti comme un langage de classe, il est d'abord un langage d'amour. Le scandale de la différence sociale est certes présent chez Marivaux, mais c'est le sentiment qui permet que chacun se reconnaisse : le langage amoureux brouille les préjugés de classe, mais permet à chacun d'aimer qui il doit aimer. Le cœur bouleverse l'ordre pour revenir à l'ordre, et, comme le souhaite Silvia, l'amour triomphera de la raison.

L'acte du dépit amoureux

Ce troisième et dernier acte est aussi celui du dépit amoureux, formule classique dans la comédie. En effet, la scène 8 – qui se termine sur la victoire complète de Silvia – est une scène de jalousie et de dépit de la part de Dorante. Le plan de Silvia a fonctionné à merveille : non seulement Dorante est jaloux de Mario, mais encore, dépité, il ne voit pas d'autre solution que de partir. De ce jeu de l'amour, Dorante aura connu toutes les figures possibles : la découverte de l'amour, la passion refoulée puis exprimée, la jalousie et le dépit. Il lui faudra attendre la scène 9 du troisième acte, celle du dénouement, pour être enfin un amant comblé et heureux.

ACTE I, SCÈNE 1

RÉSUMÉ

Cette première scène du troisième acte se déroule entre un maître et son valet, entre Dorante et Arlequin. Ils sont tous les deux à la croisée des chemins: le maître est désespéré alors que le valet voit ses vœux se réaliser et son avenir assuré. Arlequin se rend auprès de Dorante en solliciteur. Il se montre d'abord obséquieux car il craint que son maître n'accède pas à sa demande. En effet, après quelques répliques de pure comédie – dans lesquelles on retrouve les rapports habituels maître/serviteur: injures, promesses de bastonnade et esprit de servilité – Arlequin annonce à Dorante qu'il va faire un bon mariage. Dorante, qui comprend aussitôt qu'il s'agit de l'union entre son valet et celle qu'il croit toujours être la fille de M. Orgon, s'indigne, et sa première réaction est de chasser Arlequin comme un usurpateur. Habile et rusé, Arlequin commence par calmer le jeu, puis il avance ses arguments: non seulement la pseudo-Silvia l'aime, mais elle l'idolâtre. Dorante, qui a bien d'autres soucis, se désintéresse de cette question et donne évasivement son accord. Réjoui par les perspectives d'ascension sociale qui s'ouvrent à lui, Arlequin va de ce pas faire sa demande à Lisette/Silvia.

COMMENTAIRE

Une vraie scène de comédie

Cette première scène de l'acte III réunit tous les ingrédients de la comédie, voire de la farce classique. En effet le Marivaux psychologue, scrutateur du cœur amoureux, n'oublie pas qu'il doit aussi faire rire. Après les scènes précédentes où prédomine ce qu'on pourrait appeler la comédie à la française – interrogation sur soi-même, jeu sur le langage, marivaudage ou préciosité – dans cette courte scène d'ouverture, nous retrouvons le Molière des *Fourberies de Scapin* et la comédie italienne.

La langue

C'est par la langue notamment que cette scène s'inscrit dans le registre de la comédie traditionnelle. Dans les répliques échangées par le maître et le valet, des termes comme « coquin », « maraud », ou encore « insolent », relèvent du registre de la farce et de la comédie burlesque. Les rapports entre Dorante et Arlequin appartiennent eux-aussi à la comédie italienne : Arlequin est révérencieux, rusé, il sait qu'il lui faut déployer beaucoup de fausse humilité pour obtenir ce qu'il désire, alors que Dorante retrouve toute la morgue, toute la supériorité du maître. Cependant, celui qui sort vainqueur de cette scène, c'est bien le valet.

Marivaux sociologue

Marivaux n'est pas qu'un psychologue, expert dans l'étude du cœur humain, il est aussi un observateur des mœurs et des transformations sociales de son temps. Tout en restant fortement cloisonnée, la société du XVIIIe est différente de celle du siècle précédent. Les classes sociales ne sont plus aussi étanches qu'elles l'étaient. Les espoirs d'Arlequin qui, au XVIIe siècle, auraient pu paraître ridicules, s'ils fournissent encore matière à comédie, ne sont pas dénués de tout fondement, et c'est pourquoi la réaction de Dorante n'est pas extravagante. Le Figaro de Beaumarchais, quelques décennies plus tard, se plaindra encore du décalage entre le mérite et la naissance mais, en cette fin du premier tiers du XVIIIe siècle, parvenir à s'élever dans l'échelle sociale n'est pas une chose impossible, même si elle reste de l'ordre de l'exploit.

ACTE III, SCÈNE 2

RÉSUMÉ

Dorante, seul dans un premier temps, se laisse aller à des réflexions dans lesquelles il cherche encore quelque espoir. Silvia/Lisette, en effet, à la fin de la scène 12 de l'acte II, lui avait demandé de patienter et de ne pas se laisser aller au désespoir. Il voudrait la rencontrer pour tirer tout cela au clair, mais c'est Mario qui entre en scène. Il sait, sur les conseils de sa sœur, quel rôle il doit jouer. Dès qu'il aborde celui qui va peut-être devenir son beau-frère, pour le mettre dans l'embarras et pour exciter sa jalousie, il le traite avec ostentation, comme un valet. Du maître quelque peu arrogant qu'il était dans la scène précédente, Dorante se retrouve brutalement replacé au bas de l'échelle sociale. Mario aborde aussitôt la question de Lisette et reproche à Dorante de lui faire la cour. En badinant, celui-ci lui objecte qu'il serait bien difficile qu'il en soit autrement, Silvia étant si aimable qu'il serait presque impossible de ne pas lui parler d'amour. Mario reproche également à Dorante de ne pas se tenir à la place où la société l'a théoriquement fait naître : il fait l'hypocrite et joue à l'homme d'esprit, alors qu'il n'est qu'un valet. Mario, en révélant un prétendu amour pour Silvia/Lisette, met tout en œuvre pour exciter la jalousie de Dorante. Il y réussit très bien mais, finement, il laisse une issue à Dorante : à la fin de la scène, il lui avoue que Silvia – qui est en réalité sa sœur et sa complice, ce qu'il se garde bien de dire – ne répond pas à son amour. Mario, en effet, tout en désespérant Dorante, laisse à celui-ci une sortie honorable : si un homme de qualité tel que lui, Mario, peut être amoureux d'une servante, à Dorante de retenir la leçon et de ne pas perdre espoir. Il ne tient qu'à lui de persévérer, de dépasser totalement ses préjugés pour être heureux. En réalité, Mario demande à Dorante de faire le dernier pas dans son allégeance à Silvia, même s'il n'oublie pas, pour rajouter au trouble du jeune homme, de lui rappeler qu'il n'est qu'un valet.

COMMENTAIRE

La jalousie au service de l'amour

Mario va mettre tout son art du jeu à exciter la jalousie de Dorante. Il faut en effet, pour complaire à Silvia, que celui-ci se livre à elle pieds et poings liés. En piquant sa jalousie, Mario espère que Dorante, se voyant supplanté par un autre, finira par demander en mariage celle qu'il prend toujours pour une soubrette. Pour le pousser dans ses derniers retranchements, Mario va se conduire à l'égard de Dorante avec une morgue et une méchanceté feintes mais destinées à le mettre à bout. Il faut que Dorante perde la tête au point d'étouffer irrémédiablement son amour-propre de jeune noble et de se déclarer. Pour parvenir à ses fins, Mario n'hésite pas, d'une part, à se faire passer pour un amoureux transi de Lisette et, d'autre part, à traiter Dorante comme le dernier des valets, à l'humilier fortement afin qu'il perde ses repères. Nous avons là une seconde scène d'hallali : le gibier que l'on force n'est plus Silvia, mais Dorante. Encore une scène cruelle, mais la cruauté marivaudienne est toujours, en dernier ressort, au service du bonheur final.

Derrière la cruauté, le conseil

Mario malmène Dorante. La morgue du frère de Silvia est d'autant plus ressentie par Dorante qu'il sort d'une scène avec Arlequin où il avait lui-même retrouvé ses réflexes, son comportement de maître vis-à-vis d'un serviteur. Il ne peut pourtant pas dévoiler son identité, puisqu'à la fin de la scène 12 de l'acte II, Silvia lui a demandé de patienter. Il doit donc subir. Cependant, s'il était en possession de tous ses esprits, il comprendrait que Mario lui montre l'exemple. En effet, dans la dernière réplique de la scène, Mario explique qu'il compte bien arriver à ses fins avec Silvia/Lisette. C'est une façon indirecte de suggérer à Dorante de dépasser ses préjugés et de demander la main de la prétendue servante, puisque, lui, Mario, noble et de bonne famille, n'hésite pas à le faire. Mais Dorante, trop bouleversé, ne saisit pas l'allusion.

ACTE III, SCÈNE 3

RÉSUMÉ

Retour de Silvia. La scène va se jouer à trois, entre Silvia, qui n'intervient pas de façon fortuite, Dorante et Mario, son rival. Ce dernier continue à tenir son rôle avec, maintenant, la complicité de Silvia. Faussement innocente, Silvia demande à Mario pourquoi il paraît ému. Il lui répond qu'il vient d'avoir un entretien avec Dorante/Bourguignon. Silvia, s'avisant de l'air triste de Dorante, interroge son frère pour lui demander ce qui s'est passé. C'est Dorante qui répond et indique ainsi la cause de sa tristesse : il vient d'apprendre que Mario est amoureux de la fausse Lisette.

Hypocrite, Silvia lui rétorque que ce n'est pas sa faute, mais en même temps elle tente de rassurer Dorante en lui disant qu'elle n'aime pas Mario. Mario, jouant toujours son rôle de maître et d'amoureux, réclame à cor et à cri le départ de Dorante. Silvia engage Dorante à sortir de la pièce tout en essayant de le rassurer à demi-mots. Déçu et dépité, Dorante finit par s'exécuter.

COMMENTAIRE

Comédie pour les uns, tragédie pour l'autre

Cette scène est une scène de comédie : deux personnages complices, Mario et Silvia, en bernent un troisième, Dorante. Le frère et la sœur sont effectivement de mèche pour continuer à faire en sorte que Dorante ait la tête qui lui tourne, qu'il ne sache plus où il en est. L'attitude des deux manipulateurs n'est cependant pas la même : Mario, sur les ordres de sa sœur, reste dans le registre de la cruauté et de la morgue, alors que Silvia ne peut se défendre d'élans de tendresse – qu'elle réprime à peine – à l'égard de Dorante, pour qui cette scène tourne à la tragi-comédie. Dans la scène précédente, il a connu les affres de la jalousie et l'humiliation de devoir continuer à se comporter en domestique. Dans cette courte scène, menée au rythme rapide d'une machine à rendre fou, il rencontre le désespoir. À la fin de la scène, en effet, ce n'est plus la jalousie qui l'habite, mais une déception très amère : il n'a pas perçu toutes les répliques rassurantes de Silvia ; ce qu'il retient, c'est qu'elle lui signifie son congé. Il lui semble que le jeu est terminé, ou plutôt, puisqu'il ignore encore qu'il s'agissait d'un jeu, que les jeux sont faits.

ACTE III, SCÈNE 4

RÉSUMÉ

Scène de retrouvailles extrêmement dense entre les trois complices que sont Silvia, Mario et M. Orgon. Désormais tout est clair entre eux : il s'agit de conclure le jeu. Dès la première réplique, Silvia proclame son amour pour Dorante. Mario, pour sa part, relève combien Dorante est troublé et aux abois. M. Orgon, tout en s'amusant de voir son futur gendre pris à son propre piège, souhaite maintenant conclure le jeu. Mais Silvia, après avoir dit à son frère combien elle était heureuse d'avoir triomphé, désire poursuivre le jeu jusqu'à son terme : elle veut que Dorante fasse sa demande en mariage à une servante et non à une jeune fille du monde. En père toujours libéral, M. Orgon se soumet au vœu de sa fille. Silvia se laisse alors aller à une tirade toute pleine de lyrisme amoureux : les deux jeunes gens étaient faits l'un pour l'autre et leur union sera fondée sur un amour réciproque ; le hasard le plus extraordinaire a fait se rencontrer deux êtres d'exception. Son père et son frère arrêtent cet élan lyrique et pressent Silvia d'achever la conquête du jeune homme. Pour elle c'est désormais chose faite, et elle va pouvoir mener le jeu tambour battant. D'ailleurs son vocabulaire change, et du lyrisme sentimental on passe à une série de métaphores guerrières qui sont celles de la conquête amoureuse. Elle énonce clairement son objectif : elle souhaite le triomphe de l'amour sur la raison, ce qui, d'une certaine façon, revient à vouloir le triomphe de l'amour sur les préjugés. La scène se clôt sur les propos de M. Orgon et de Mario qui, tous deux, ironisent sur l'amour-propre féminin.

COMMENTAIRE

Trois complices

Toute la famille Orgon se retrouve cette fois-ci dans un climat de fête. Nous sommes loin de la scène 11 de l'acte II dans laquelle les deux hommes jouaient avec l'amour-propre de Silvia qui était mis à rude épreuve. C'est maintenant trois complices qui se retrouvent dans la joie d'une entreprise bien menée. Ils sont arrivés là où ils le souhaitaient : au triomphe de l'amour. Cependant ils n'ont pas tous participé au jeu de la même façon. Les deux hommes ont été en permanence des manipulateurs, des tireurs de ficelles et des spectateurs amusés. Ils ont, tout au long de la pièce, dévidé l'écheveau de l'embrouille. À aucun moment ils n'ont mis en jeu leur destin. Il n'en va pas de même pour le troisième larron qu'est Silvia.

Si maintenant elle triomphe, c'est après avoir été elle-même dupée et avoir, au deuxième acte, perdu tous ses repères, après s'être sentie en péril sur un sol qui devenait toujours plus mouvant. Ce qu'elle risquait, c'était sa vie même de femme, son avenir. Sa victoire n'en est donc que plus éclatante. Elle peut laisser exploser sa joie, donner libre cours à son bonheur. L'ironie tendre dont son père et son frère font preuve à son égard, à plusieurs reprises dans la scène, participe à cette euphorie qui a été chèrement acquise par l'héroïne de la pièce.

Le bonheur de Silvia

Cette scène se situe aux antipodes de la scène 1 de l'acte I : la crise conjugale, les réticences devant le mariage ont disparu. Ce n'est plus de crainte ou de méfiance qu'il s'agit maintenant, mais de bonheur. Cette joie s'exprime de multiples façons. Silvia peut de nouveau badiner avec son père et son frère, qui ne se privent pas de la taquiner tendrement. Mais c'est surtout dans la tirade du milieu de la scène que son allégresse éclate. L'épreuve, qui était au centre du jeu, a donné des résultats inespérés, exceptionnels. Elle sait maintenant qu'elle vit un amour unique, qui dépasse peut-être tout ce dont elle aurait pu rêver. Certes, il y a sans doute un peu d'orgueil dans cet élan lyrique où elle chante son bonheur : en effet, c'est elle qui a su inspirer un tel amour. Néanmoins, dans sa joie débordante, c'est la tendresse qui prédomine. Plus qu'un triomphe dû à la coquetterie, à l'amour-propre, à la ruse, Silvia savoure une victoire qui est une victoire sur les risques de la vie amoureuse. Puisqu'elle est sûre de l'amour, elle peut alors satisfaire son amour-propre, et c'est pourquoi elle décide d'aller jusqu'au bout du jeu. Succède ainsi au lyrisme une joie amoureuse et guerrière : il faut que Dorante boive toute la coupe que lui tend Silvia, il faut qu'il se rende à ses charmes et non pas à son rang. Elle restera donc masquée jusqu'à la fin.

La règle du jeu

Sous l'effet de son enthousiasme, Silvia, ainsi que ses acolytes, livre dans cette scène toute la règle du jeu de l'amour. Il y a d'abord **l'épreuve** à laquelle doit être soumis le prétendant : Dorante a été la dupe de son propre stratagème ; il y a ensuite **la découverte de l'amour** : s'il n'y a rien de plus flatteur pour Dorante que d'avoir été berné, ainsi que l'affirme Orgon, c'est parce que, grâce au déguisement de Silvia, il a pu révéler aux autres sa générosité et sa noblesse. En découvrant l'amour, il s'est découvert lui-même et a montré ses qualités d'âme et de cœur. Chez Marivaux, l'amour est inséparable d'un effort d'élucidation de soi-même et d'autrui, et cet effort implique que le jeu se poursuive jusqu'au bout. À ce titre, les critiques qui ne voient dans le troisième acte qu'une excroissance inutile des deux premiers se trompent. Ils réduisent la pièce de Marivaux à une simple comédie amoureuse et en oublient l'ontologie*, le décryptage par le personnage de son être propre et de celui des autres. Enfin, même s'il est parfois cruel, le jeu marivaudien n'a qu'un seul objectif : par la vérité des sentiments, parvenir au bonheur. Et Silvia, depuis la fin du deuxième acte, croit qu'elle l'a atteint.

ACTE III, SCÈNE 5

RÉSUMÉ

La scène 5 est une scène de transition : elle nous fait passer de l'histoire d'amour des maîtres à celle des valets. Lisette entre en scène et rappelle à Orgon qu'à la scène 2 de l'acte I, il l'avait autorisée à séduire Arlequin/Dorante ; il lui réitère son accord, suivi par toute l'assemblée. Un temps surprise de l'assentiment de Silvia, Lisette, joyeuse, s'apprête à parachever sa conquête. Mais, désireux de voir le jeu se dénouer, M. Orgon pose une condition : il faut que, maintenant, Lisette dévoile son identité à Arlequin.

COMMENTAIRE

Lisette à la fête, elle aussi...

Lisette vient réclamer son dû. Encore méfiante, ayant du mal à croire à son aventure, elle s'entoure de précautions en s'assurant de l'accord de son maître et surtout de celui de Silvia. Une fois la surprise passée, elle participe à la joie générale. Les deux femmes, la maîtresse et la servante, vont livrer, chacune pour soi, leur dernier assaut amoureux.

ACTE III, SCÈNE 6

RÉSUMÉ

Lisette et Arlequin vont jouer une scène capitale pour eux : celle de la reconnaissance. Cette reconnaissance, qui passe par un double aveu, sera bien longue et bien difficile à obtenir. Tout d'abord, Arlequin reste dans son rôle d'amoureux précieux. Sans en sentir le burlesque, il adresse à celle qu'il aime toute une série de compliments ampoulés et comiques dans la bouche d'un valet. Lisette, de son côté, reste dans le style sérieux et aristocratique qui est censé être le sien. Il s'est passé un certain temps depuis leur dernière rencontre et Arlequin, malgré sa suffisance et sa vanité, a besoin de se rassurer quant à l'amour que lui porte celle qu'il prend toujours pour la maîtresse des lieux. Il est comme Lisette au début de la scène précédente : tout lui paraît trop beau pour être vrai. Elle le rassure immédiatement et prie Arlequin de demander sa main à M. Orgon, son soi-disant père. Mais, avant de faire cette démarche, Arlequin veut s'entendre dire par Lisette, une fois encore, qu'elle l'aime réellement ; et, pour ce faire, il se livre à un badinage amusant à propos de l'expression « donner sa main à quelqu'un ». L'imminence du mariage contraint cependant les deux personnages à révéler leur véritable identité. Cela va être long et difficile, chacun des deux redoutant que le rêve ne s'écroule. Ils vont essayer de faire comprendre à l'autre, à mots couverts, tellement l'aveu est difficile, qu'ils ne sont pas ce qu'ils paraissent être. Après une longue suite de quiproquos* et de sous-entendus, Lisette, plus fine qu'Arlequin, commence à se douter de la supercherie. De plus en plus sèchement, elle va sommer Arlequin de se dévoiler : ce qu'il finira par faire. Après ce premier aveu, la scène s'accélère : en effet, désormais, tout est facile pour Lisette. Elle se retrouve un court instant par rapport à Arlequin dans une situation analogue à celle de Silvia par rapport à Dorante. Néanmoins, tout va plus vite chez les valets que chez les maîtres : à la fin de la scène, la jeune fille se démasque elle aussi et tout se termine dans la bonne humeur, par une parodie du comportement des maîtres qu'ils ne sont plus. Mais l'épreuve de Dorante doit continuer, et Lisette n'oublie pas de recommander à Arlequin de ne rien révéler au jeune homme.

COMMENTAIRE

Un aveu ardemment souhaité, mais difficile à formuler

Chacun des deux protagonistes souhaite se débarrasser du masque qui leur a été imposé par leurs maîtres. En effet, c'est pour eux un enjeu d'une importance capitale, puisque c'est seulement après s'être révélé leur identité qu'ils sauront si leur espoir de mariage peut se réaliser. Mais leur crainte est forte de voir leur rêve s'effondrer et de tomber dans le ridicule, voire d'essuyer l'infâmante accusation d'imposture. Le rythme même de la scène rend parfaitement compte de cette difficulté de l'aveu. Dans une première séquence, Arlequin reprend le ton de badinage parodique qui est le sien depuis qu'il tient le rôle de Dorante, mais, dans une deuxième séquence, devant les déclarations d'humilité de Lisette, il ne sait plus sur quel pied danser. L'un et l'autre sont dans l'embarras ; c'est alors que Lisette va précipiter les choses et arracher à Arlequin son aveu. Dès lors, dans une troisième séquence, Lisette va elle aussi pouvoir révéler sa véritable identité et la scène se termine par la promesse de mariage tant attendue.

Une scène dans la plus pure tradition de la comédie

Avec le personnage d'Arlequin, Marivaux fait ici un retour à la comédie ancienne inspirée de la *commedia dell'arte*. Le personnage d'Arlequin qui, dans le *Jeu*, s'était parfois écarté de son modèle de la farce italienne, renoue dans cette scène avec ses origines. Par son langage d'abord : le trouble qui l'envahit lui fait par instant oublier le rôle qu'il doit tenir et fusent de sa bouche des expressions populaires, faites d'images concrètes comme ne « pas s'attendre au fond du sac », ou des injures comme « coquin » et « faquin », par exemple. Par sa gaieté ensuite, autre caractéristique du personnage traditionnel, dont l'Arlequin de Marivaux ne manque pas : s'il est bien sûr joyeux à la fin de la scène, il l'est aussi quand il se trouve dans l'embarras ; même si ce n'est pas une joie franche, même si elle est mêlée d'un peu d'inquiétude, il n'en demeure pas moins un personnage plein d'allant, à qui il reste toujours un peu d'optimisme. Par ses apartés comiques, enfin, comme le « Je n'ai pu éviter la rime », qui sont autant de clins d'œil au spectateur. Mais Arlequin ne serait pas Arlequin sans les jeux de scène qui le font reconnaître entre mille. Le public attend de lui des pirouettes et des culbutes et, là encore, l'Arlequin de Marivaux ne faillit pas à son rôle : la jolie culbute qu'il fait dans cette scène est bien sûr une culbute métaphorique, mais nul doute qu'il ne l'accompagne d'une chute réelle.

Autre élément appartenant à la comédie traditionnelle : nous avons là une scène dite de reconnaissance, que Marivaux prisait plus que tout et qui, par le double dévoilement d'identité succèdant à de longues hésitations, concourt également à divertir le spectateur de l'époque, friand de ce genre de dénouement.

Un comique pétillant et multiforme

Un autre élément important du comique de cette scène tient à la présence de la **parodie**. Au début de la scène, Arlequin parodie de façon burlesque et maladroite la préciosité du langage amoureux : Lisette n'est plus seulement la femme aimée, l'amante, elle est « l'élixir de son cœur » ; puis il voudrait baiser les mots qu'elle prononce comme l'on baise des lèvres ; enfin, il se lance dans un jeu d'esprit au sujet de la main à demander et de la main à prendre. Bien évidemment, l'élément parodique provient du fait que cette préciosité d'expression, chez Arlequin, perd son caractère raffiné pour n'être plus que grotesque. La parodie réapparaît tout à la fin de la scène, mais cette fois-ci elle n'a rien de burlesque et elle est même à la limite du spirituel. C'est une parodie de connivence entre les deux jeunes gens, qui sont désormais amants : gaiement, ils abandonnent un rôle imposé en singeant ceux qui le leur avaient imposé. Dernier élément de comique enfin, aussi vieux que la comédie elle-même, mais que Marivaux utilise avec maîtrise – on pourrait même dire avec gourmandise : le **quiproquo***. Le quiproquo, qui résulte de l'interprétation erronée d'un mot et qui entraîne une situation cocasse, est par là-même poussé à son paroxysme dans cette scène. Il porte bien évidemment sur les mots. L'amour d'Arlequin pour Lisette, présenté par celle-ci comme un « présent du ciel », n'est pas interprété de la même façon par les deux personnages : Arlequin, qui sait qu'il n'a rien d'autre à offrir à Lisette qu'une vie de domestique, trouve cet amour bien mesquin, tandis que la jeune fille, qui n'a pas encore compris, le perçoit comme un don magnifique. Mais le quiproquo ne tient pas aux seuls mots. En effet, d'une certaine façon, les personnages sont eux-mêmes des quiproquos vivants, dans le sens où chacun prend l'autre pour ce qu'il n'est pas. Langage, identité, corps, chez Marivaux, tout finit par se confondre.

ACTE III, SCÈNE 7

RÉSUMÉ

Scène courte qui alterne avec la longue scène précédente, mais qui ne manque pas de sel. Tout revigoré, « fortifié » comme il l'a lui-même dit à la scène 6, Arlequin retrouve son maître. Dorante, qui sait que son valet vient de quitter à l'instant la prétendue fille d'Orgon, lui demande s'il a dévoilé sa véritable identité. Arlequin est trop heureux de répondre par l'affirmative pour jouer un tour à Dorante et se venger ainsi des brimades que ce dernier lui a fait subir. Dorante va aller d'étonnement en étonnement : d'abord, quand il apprend que la fille de M. Orgon accepte de se marier avec son valet, il n'en croit pas ses oreilles ;ensuite, lorsqu'il s'entend dire que tout ceci se fait avec la bénédiction d'Orgon, sa stupéfaction est à son comble. Il traite Arlequin de menteur. Celui-ci le prend de haut et savoure sa vengeance en traitant son maître d'égal à égal puisque, lui, le valet, va épouser une jeune noble, alors que le maître est amoureux d'une soubrette.

COMMENTAIRE

Une mystification de plus

Dorante, décidément, n'en finit pas d'être la dupe de chacun et de tous. En effet, dès qu'un des personnages a retrouvé sa véritable identité, il devient aussitôt le complice de ceux qui tirent les ficelles du jeu. Dorante est désormais le seul à ne pas savoir qui est qui. Il faut, selon la règle du jeu, qu'il le paie d'une façon ou d'une autre ; il sera donc, cette fois-ci, la dupe de son valet. Tout cet emboîtement de mystifications serait une véritable machine infernale s'il ne s'y mêlait pas une bonne dose de comique. Ici, Dorante est pitoyable, et même un peu ridicule dans son aveuglement. Ses étonnements successifs amusent tout autant le spectateur qu'ils réjouissent Arlequin. En outre, l'inversion, non pas des rôles – car dans cette scène chacun est à sa place – mais des tons, est un ressort de comique puissant. En effet, la morgue et l'orgueil ne sont plus du côté de Dorante, ils sont passés du côté d'Arlequin. C'est lui qui maintenant peut le prendre de haut, alors que Dorante sent littéralement s'écrouler son monde, celui qu'il connaît et dans lequel les puissants se marient entre eux et les gens du peuple également. Son aveuglement est tel qu'il ne comprend pas que cette scène vient doubler celle dans laquelle Mario excitait sa jalousie. Dans la scène 2 en effet, Mario affirmait n'avoir aucune réticence à épouser une servante ; maintenant, dans la scène 7, Dorante apprend que Silvia/Lisette ne répugne pas à épouser un valet. Toute cette mécanique parfaitement huilée, qui devrait pourtant lui ouvrir les yeux, Dorante ne la voit pas. Malgré sa générosité d'âme, c'est lui qui restera le plus longtemps enfermé dans ses préjugés de caste.

La revanche du valet sur le maître

Arlequin tient des propos qui, s'ils n'étaient pas tempérés par le comique, pourraient passer pour révolutionnaires. Mais surtout, avant même ce qu'il dit, c'est le ton sur lequel il le dit qui possède une connotation subversive. En effet, c'est avec un ton protecteur qu'il parle de la fille de M. Orgon. Aux yeux de Dorante il n'est plus un valet, même déguisé en maître, mais quelqu'un qui est en passe de devenir son égal puisque c'est ainsi – du moins Dorante le croit-il – que les autres le perçoivent maintenant. Si Silvia accepte d'épouser Arlequin avec la bénédiction de son père, cela signifie que celui-là change de classe sociale. Arlequin en joue habilement : en adoptant ce ton protecteur à l'égard de Silvia, il sait très bien qu'il maltraite l'orgueil de Dorante. Mais il s'en tient pas là et, s'il humilie son maître dans sa conscience de classe, il l'humilie aussi dans sa conscience d'homme. En effet, l'instant d'une réplique,

Arlequin est tout simplement d'une essence supérieure à celle de Dorante. Il n'a pas besoin du paraître du gentilhomme, il n'a pas besoin d'habits luxueux pour parvenir là où il a décidé qu'il serait. Il joue en effet de la situation, dont il connaît maintenant toutes les ficelles, en disant à Dorante que même sous une livrée de serviteur, il aurait su se faire aimer de la femme qu'il va épouser ; évidemment, Dorante ignore qu'il s'agit de la vraie Lisette. Là encore, le comique de la situation atténue ce que ces propos pourraient avoir de subversif. Sachant qu'une telle occasion ne se représentera sans doute jamais, Arlequin s'en donne à cœur joie et pousse jusqu'au bout son avantage. Dans la dernière réplique il a un ton de parfait aristocrate, et cette fois-ci sans aucun ridicule. Il traite Dorante comme Dorante l'a traité. Nous sommes à la limite de l'ironie cinglante.

ACTE III, SCÈNE 8

RÉSUMÉ

La scène 8 de l'acte III est la grande scène du *Jeu*, et ce à un double titre : non seulement elle est la plus longue de la pièce, mais surtout elle en est la plus importante car c'est celle où Dorante va enfin accepter d'épouser Silvia, alors qu'il la prend toujours pour une servante. La scène démarre mal. Dorante est toujours aussi épris de Silvia/Lisette, mais, nous allons l'apprendre, il a pris la décision de partir. Il l'annonce à Silvia/Lisette après que celle-ci lui a demandé de déclarer sa flamme à la fausse Silvia – faute de quoi son valet s'en chargera. Dorante, qui est au courant de la situation depuis la scène précédente, informe Silvia de son départ. Il s'ensuit une première frayeur de Silvia qui se sent prise à son propre piège : elle est allée trop loin et va perdre Dorante. Attrapant au vol une intuition, elle demande à Dorante les raisons de son départ tout en feignant de ne pas le faire. Désespéré et dépité, le jeune homme ne les lui donne pas et lui fait son premier adieu. Elle l'interpelle en le menaçant mais Dorante, qui pense avoir totalement perdu la partie, lui réitère ses adieux.

Silvia le regarde s'en aller et se lance dans un émouvant monologue intérieur où elle exprime sa tristesse de voir son amour s'éloigner. Mais c'était une fausse sortie, Dorante se retourne et revient sur ses pas. Elle fait alors en sorte – alors qu'elle faisait semblant de sortir – qu'il lui demande de rester. Elle relance une nouvelle fois le jeu en disant à Dorante qu'elle n'est qu'une servante et qu'il le lui fait bien sentir. Indignation de Dorante, qui avoue que l'amour que Mario porte à Lisette est la cause essentielle de son départ. Silvia rétorque à Dorante qu'il se trompe au sujet de Mario ; elle lui avoue ainsi, d'une manière détournée, que c'est lui, Dorante, qu'elle aime. Elle parvient alors à ce que Dorante lui crie littéralement son adoration. Celui-ci a dépassé le dépit amoureux, et Silvia va pouvoir aller jusqu'au but qu'elle s'était fixé à la scène 4 de l'acte III : faire triompher l'amour sur la raison. Pour ce faire, elle expose à Dorante tout ce qui les sépare socialement. Elle joue toujours, mais le ton de sa tirade est celui d'une amoureuse qui a de plus en plus de mal à cacher ses sentiments. Dorante est vaincu, il sacrifie son orgueil de caste à Silvia. Elle cherche encore par quelques remarques à assurer sa victoire, mais cela n'est pas utile, Dorante est définitivement sa proie. Elle est parvenue à ses fins. La scène s'achève sur un duo d'amoureux, mais Silvia n'a toujours pas révélé qui elle était.

COMMENTAIRE

La scène de tous les dangers

Cette avant-dernière scène s'achève bien pour Silvia, mais elle aura été celle de tous les dangers. Le danger vient de Dorante, qui, désespéré, a pris la décision de partir, mais il vient aussi d'elle-même qui, au péril de son amour, a décidé de mener le jeu jusqu'à son terme.

Les faux départs de l'amoureux dépité

Dorante pense avoir perdu la partie. Il est persuadé que Mario convoite Silvia/Lisette qui, de son côté, ne lui a jamais donné un signe clair et intelligible de son amour. Outre le dépit amoureux et l'amertume d'avoir un rival de taille dans la place, il craint sans doute aussi le ridicule d'assister, dans sa situation, au mariage de son valet Arlequin avec la fille de la maison. Dorante ne le dit pas, mais le spectateur comprend bien qu'il a le sentiment que tout est contre lui. La scène du mariage accepté sera donc d'abord celle des adieux. Ici Marivaux utilise encore un procédé traditionnel de la comédie : celui des fausses sorties. Certes, Dorante est sincère dans ses adieux, mais il ne parvient pas à les mettre à exécution. C'est d'abord Silvia qui, une première fois, arrive à le retenir ; la seconde fois, il revient de lui-même, parce qu'il lui est impossible de s'arracher à celle qu'il croit toujours être Lisette. Cependant, pour Silvia, l'alerte aura été rude. Si elle ne croyait pas trop au premier départ, l'inquiétude la gagne lors du second, mais elle n'abdique pas : elle ne quittera pas la ligne de conduite qu'elle s'est fixée. Dorante doit se soumettre, et il se soumettra. Cette soumission est marquée par le jeu de scène des déplacements de Dorante, symboliques des hésitations des personnages et surtout de celles du jeune homme.

Silvia joue avec le feu, puis gagne

Silvia est bien imprudente et elle s'en rend compte, mais il lui faut aller jusqu'au bout, non pas tant par orgueil, par amour-propre que par courage : aller jusqu'au bout du jeu malgré le danger, c'est une manière de rester fidèle à soi-même. Elle ne manque d'ailleurs pas de grandeur dans ce rôle, grandeur qui naît de l'alliance du courage et de l'émotion. En effet, pour ne pas se trahir elle-même, elle parvient à surmonter son émotion qui est intense. Si Dorante reste, Silvia l'aimera, mais ce sera d'un amour ordinaire, et ça, elle ne le veut pas. N'a-t-elle pas dit, quelques scènes plus haut, que leur « aventure [serait] unique » ? Jusqu'au dernier instant, elle se refuse à avouer ses sentiments à Dorante et à lui dévoiler son identité. Il lui faut non seulement que Dorante lui déclare l'intensité de sa passion, mais encore qu'il la demande en mariage après avoir foulé aux pieds tout ce que la raison lui dicte au nom de la famille, du rang et de la fortune : ne pas épouser une servante, aussi désirable, aimable et admirable soit-elle. Dans cette scène Silvia aura flirté avec le désastre, mais son courage et son obstination lui auront permis de triompher.

Une scène d'émotion pure

Même si on y retrouve les procédés propres à la comédie, cette scène est avant tout une scène d'intense et magnifique émotion. Il y a bien sûr l'émotion de Dorante, qui est réelle, mais le jeune homme est avant tout en proie au dépit et ballotté par les flots de ce jeu qui le dépasse et qu'il ne comprend pas. Silvia, elle, représente la quintessence de l'émotion, et la noblesse et la beauté de son émoi viennent précisément de l'empire qu'elle exerce sur ses sentiments. Dorante souffre et à ce titre il est émouvant ; Silvia souffre tant en sachant que c'est elle qui tient en main la clef de sa propre souffrance : son bonheur ne peut avoir de prix que si elle va jusqu'au bout d'elle-même. En cette fin de pièce, plus encore que Dorante, c'est elle qu'elle met à l'épreuve : elle se veut heureuse et fière. Fierté et bonheur : l'un n'ira pas sans l'autre. Cette alliance laisse sourdre un intense sentiment de tendresse, qui l'envahit même dans les moments les plus durs, par exemple lorsqu'elle regarde Dorante s'éloigner. *Le Jeu de l'amour et du hasard* est une pièce du triomphe de l'amour, mais aussi, en ce qui concerne plus personnellement Silvia, du triomphe sur soi-même.

La tendresse salvatrice

C'est la tendresse qui sauve tout. C'est elle qui retient Dorante, c'est elle qui sauve Silvia, c'est elle qui permet un dénouement heureux. Ce sont des élans de tendresse que Silvia n'arrive pas à contrôler qui conduisent Dorante à tout abdiquer ; c'est encore cette vibration tendre et intense qui, à trois reprises, va empêcher que se commette l'irréparable. Une première fois, quand Silvia laisse entendre qu'elle n'approuve pas l'idée de départ de Dorante, sa voix marque une hésitation qui traduit un premier élan de tendresse. La deuxième fois, lorsqu'elle soliloque en regardant le jeune homme s'éloigner et qu'elle se jure de ne plus l'aimer s'il la quitte, son regard se fait si tendre que l'onde en atteint Dorante, qui revient sur ses pas. Enfin, la tendresse jaillit une troisième fois, lorsque Silvia expose à Dorante tout ce qui les sépare et qu'elle a cette phrase magnifique qui fait basculer Dorante dans le renoncement à tout orgueil : « Savez-vous bien que, si je vous aimais, tout ce qu'il y a de plus grand dans le monde ne me toucherait plus. » Silvia lutte jusqu'au bout, elle utilise un hypothétique, mais la tendresse qui sous-tend toute la phrase lui retire son caractère d'hypothèse. C'est en percevant ce troisième élan que Dorante rend les armes et qu'il a pour elle, alors, des mots très beaux ; l'âme, le courage, la noblesse de Silvia ont rompu tous les obstacles : « Je t'adore, je te respecte, lui dit-il. Il n'est ni rang, ni naissance, ni fortune qui ne disparaisse devant une âme comme la tienne. »

Poésie du regard

Mais le compte rendu de cette scène extraordinairement riche serait imparfait si l'on n'évoquait pas encore ses accents poétiques. La poésie réside d'abord dans les regards échangés entre Silvia et Dorante. La didascalie contenu dans la réplique de Silvia : (*Elle le regarde aller*), ouvre un bref passage d'où se dégage une poésie amoureuse et triste. Le ton en est presque élégiaque*, c'est une plainte amoureuse et mélancolique qui s'échappe des lèvres de Silvia. Plainte que Dorante ne peut entendre, mais à laquelle il répond néanmoins par un regard douloureux. L'intensité poétique est encore plus grande dans le regard de Silvia qui est un dernier regard de tendresse. La phrase de Marivaux : « Il s'arrête pourtant ; il rêve, il regarde si je tourne la tête, et je ne saurais le rappeler, moi... » se charge d'une pulsation qui est celle d'un cœur en proie au déchirement. Ce ton élégiaque se retrouve un peu plus loin dans la scène, lorsque Silvia évoque, au conditionnel, l'état dans lequel la laisserait le départ de Dorante. Mais Marivaux ne saurait rester sur la note triste de l'élégie : à celle-ci, succède, enfin, le lyrisme de Dorante : « Je t'adore, je te respecte ». Silvia a triomphé.

ACTE III, SCÈNE 9

RÉSUMÉ

La dernière scène tient tout entière dans la première réplique : « Ah ! mon père, vous avez voulu que je fusse à Dorante. Venez voir votre fille vous obéir avec plus de joie qu'on n'en eût jamais. » Maintenant tout est dit : Dorante sait que Lisette est Silvia et qu'il ne s'était pas trompé sur ses sentiments. La scène se poursuit avec l'explication d'Orgon, qui révèle à Dorante que Silvia et lui avaient eu la même idée, et, puisqu'il s'agit d'une comédie, elle se termine dans la joie de tous sur une dernière pitrerie d'Arlequin, qui assiste à la scène avec Lisette : « Allons, saute, marquis. »

COMMENTAIRE

Après l'émotion, le bonheur et le rire

Cette dernière scène obéit à la dramaturgie traditionnelle de la comédie : chacun a repris sa place, tout est rentré dans l'ordre, et le *Jeu de l'amour et du hasard* se termine par une cabriole d'Arlequin. Cependant, on peut y reconnaître la marque de l'optimisme marivaudien : au désordre et à l'égarement général, succèdent l'ordre et le bonheur de chacun. Bonheur de l'amour, bien sûr, mais aussi bonheur de la rencontre avec soi-même et de sa propre estime.

Synthèse littéraire

LE MARIVAUDAGE

Un terme longtemps péjoratif

Mot clé du théâtre de Marivaux, le marivaudage en est l'âme et lui donne son sens. Peu nombreux sont ceux qui, au XVIIIe siècle, ont senti ce que le marivaudage pouvait avoir de profond. En effet, la plupart des contemporains de Marivaux, ainsi que ceux qui le suivent dans le siècle, voient en lui, dans le meilleur des cas, un auteur gracieux et léger, et dans le pire un dramaturge superficiel et un peu mièvre. Voltaire et Diderot, pour ne citer qu'eux, n'aimaient pas l'auteur du *Jeu de l'amour et du hasard*. Voltaire dans une formule à la fois saisissante et méprisante, reproche à Marivaux de « pes[er] des œufs de mouches avec des balances en toile d'araignée ». La critique lui reproche également de faire de la « métaphysique du cœur », autrement dit de centrer tout son théâtre sur la complication subtile des sentiments amoureux et d'utiliser pour ce faire un langage obscur et alambiqué. Cette vision péjorative du théâtre de Marivaux perdurera au XIXe siècle et Littré, à la fin du même, définira le marivaudage – passé depuis longtemps dans le langage commun – comme un style où l'on raffine sur le sentiment et l'expression, un style qui cultive l'esprit et la finesse pour eux-mêmes.

Un badinage grave qui met l'être en péril

C'est le XXe siècle qui rendra justice au marivaudage. Marivaux est en effet l'auteur classique le plus joué après Molière. Notre époque a su reconnaître la souplesse et l'originalité d'un art où se côtoient la gravité et la fantaisie, le drame et la comédie. D'autre part, la critique a pris conscience que le langage était le pivot de ce théâtre, qu'il en constituait la substance même ; ou, pour le dire autrement, que le langage, chez Marivaux, c'est l'action elle-même. Ce que soulignent aussi les critiques, les metteurs en scène et les comédiens contemporains, c'est que le marivaudage est un voyage, un itinéraire, une aventure où l'on risque de se perdre corps et biens.

LA CRISE NUPTIALE

Même s'il est aussi autre chose, le théâtre de Marivaux est un théâtre de l'amour. En effet, l'amour y est une force agissante, qui entraîne les personnages sur des chemins de traverse où ils vont s'affronter aux autres et au monde. Il s'agit d'une véritable dramaturgie du mariage, d'une mise en scène de fiançailles dont l'issue est incertaine. Si l'union d'un couple est bien la fin ultime de l'intrigue, avant d'y parvenir, il faut en passer par de nombreuses péripéties et affronter des situations périlleuses. Cet itinéraire mouvementé commence par ce que Michel Deguy, dans *La Machine matrimoniale ou Marivaux* (voir la Bibliographie), appelle la crise nuptiale. Tout commence quand un parent – souvent un père – décide de marier sa progéniture. Cet acte banal va aussitôt déclencher une série de bouleversements, une tempête qui va perturber les cœurs et les esprits.

L'intrusion de l'Autre

Le rejeton marivaudien de bonne famille est, avant le mariage, un être qui ne se connaît pas ou qui se connaît mal. Grâce aux codes sociaux et aux exigences de sa famille, il vit en paix avec lui-même – du moins le croit-il ; car, en réalité, il hiberne dans un cocon qu'il pense être le monde : parents, domestiques que l'on ne fait que côtoyer, bonnes manières et langage conventionnel. Tout est codé, donc tout est facile : il suffit d'être conforme et le temps s'écoule, jour après jour, dans une harmonie qui, si elle n'est pas un néant, ressemble fort à une vie au ralenti. Cet arrière-plan, le spectateur doit quasiment le deviner puisque la présentation ne lui en n'est pas faite et que les pièces commencent avec l'annonce d'un prochain mariage. Le mariage, au début du XVIIIe siècle, reste, dans la plupart des cas, un mariage arrangé. Les parents décident pour leurs enfants, qui restaient mineurs plus longtemps qu'aujourd'hui. Dans un tel contexte, le mariage est donc véritablement l'intrusion de l'Autre, de l'Inconnu dans cet univers sans histoire qu'est le cercle familial. Le héros, et surtout l'héroïne, va alors souffrir de crise nuptiale, c'est-à-dire qu'il va se créer une série d'empêchements afin de retarder le moment où il devra affronter le monde extérieur, l'Autre. C'est dans cet état que se trouve Silvia dans la première scène du *Jeu* : lorsqu'elle dresse à une Lisette un peu interloquée les portraits peu flatteurs des maris de ses amies, elle est en pleine crise, et dans une crise épouvantable. Silvia tente de convaincre Lisette – qui est loin de partager l'avis de sa maîtresse – de ses répugnances à l'égard du mariage : « Cela est terrible [...] ; songe à ce qu'est un mari », lui dit-elle. Si l'on accorde du crédit aux portraits que Silvia vient de tracer, c'est un songe qui, effectivement, tient du cauchemar.

Demeurer soi-même

Cependant, il serait erroné de penser que cette crise nuptiale est en quoi que ce soit une crise infantile. C'est la crise d'un jeune adulte sérieux, et elle va plus loin que la simple peur du mariage. Il y a dans le tumulte qui agite le futur marié – puisqu'il finira par l'être – de la crainte et de la revendication.

La crainte, nous l'avons dit, c'est en premier lieu la crainte de l'autre. Bien qu'il vive selon des codes sociaux bien réglés, le jeune héros marivaudien se sent un être unique, il vit dans la conformité mais il n'est pas comme les autres : il est lui. Il croit se connaître, il s'apprécie, il a une assez haute idée de lui-même et redoute que son entrée dans la vie d'une part modifie l'image qu'il a de lui et, d'autre part, le fasse ressembler à tout le monde. Il veut demeurer lui-même, l'unique, tel que ses jeunes années l'ont fait.

La crainte se double aussi d'une revendication toute moderne voire d'avant-garde, si le terme avait existé à l'époque. Les jeunes gens ne veulent plus se laisser marier passivement, ils désirent prendre leur destin en mains. À cet égard, ils sont plus chanceux que les héros des comédies du XVIIe siècle : Marivaux leur offre, en général, des pères bons et compréhensifs comme le sont Monsieur Orgon, le père de Silvia, et celui de Dorante que nous ne connaissons que par la lettre qu'il envoie à son ami Orgon. Pour Marivaux l'ère des barbons est révolue, ainsi que celle des mariages de convenance. Cet état de fait a une conséquence qui retentira sur toute la dramaturgie de Marivaux : les enfants vont avoir une part active dans le choix de leur conjoint. C'est là que leur aventure commence, une aventure dont ils ignorent tous les risques qu'elle comporte.

Il faut se cacher pour espérer être heureux

Puisque l'ordre social exige qu'on se marie, autant mettre toutes les chances de son côté et, pour ce faire, étudier l'Autre, en faire un objet d'observation, un sujet d'expérience. Quoi de plus simple, alors, que de se dissimuler pour regarder, interroger, scruter cet intrus qui doit s'immiscer brutalement dans votre vie ? De là le recours au masque, au travestissement. Porter un masque est aussi vieux que le théâtre lui-même : les acteurs athéniens étaient masqués et, au XVIIIe siècle, les comédiens italiens le sont encore. Le masque est consubstantiel au théâtre, mais, avec Marivaux, il prend une dimension nouvelle : il n'a ni un caractère sacré comme à Athènes, ni un caractère conventionnel comme dans la *commedia dell'arte*, il devient un moyen de connaissance, l'outil de la lucidité. Il faut peu de temps à Silvia pour le comprendre, et c'est dans une atmosphère pleine de gaieté qu'elle échange ses vêtements avec sa servante. Ce qu'elle ne sait pas encore, c'est que le masque marivaudien est diabolique, car sa fonction ne se borne pas à étudier l'autre. En effet il n'est pas seulement ce qui pourrait être assimilé à un mirador, à une tour de guêt, il est aussi une machine infernale qui va faire descendre le personnage à l'intérieur de lui-même ; il est une arme à double tranchant dont l'usage n'est jamais innocent.

Le hasard du double travestissement

Si le procédé du travestissement est aussi vieux que le théâtre lui-même, la nouveauté des pièces de l'auteur du *Jeu de l'amour et du hasard*, c'est qu'elles multiplient les masques. Qu'un maître échange ses vêtements avec son valet, la comédie en offre des exemples avant Marivaux ; mais que deux maîtres le fassent, et le fassent **par hasard**, l'idée est déjà plus rare : le travestissement est multiplié par quatre et l'imbroglio n'en sera que plus fort. Là réside le hasard de la pièce : que les deux jeunes gens, en pleine crise nuptiale, aient eu la même idée. Autre intervention du hasard : le fait que l'un des deux pères, celui de Dorante, ait, par lettre, prévenu le second, celui de Silvia, du stratagème de son fils. Dès les premières scènes, tout est en place et la machination se met en branle qui va perdre les uns et les autres, sous le regard de ceux qui savent : Monsieur Orgon et Mario.

UN THÉÂTRE DE L'EXPÉRIMENTATION

Un travestissement en laboratoire

Si, d'une certaine façon, le théâtre de Marivaux est un théâtre de laboratoire, il ne l'est pas de la manière dont on l'a souvent dit. En effet, ce n'est pas lui, l'auteur, qui prend ses personnages comme objets d'étude, à la manière dont on étudie des animaux de laboratoire ou encore des pantins préfabriqués à peine sortis de leur étuve. Au contraire, ce sont eux, les personnages, qui se servent de leur masque comme d'un instrument de laboratoire pour ausculter le monde et les autres. Tel est bien le projet de Silvia au début de la pièce : elle va se préparer à ce travail d'entomologiste en l'espace de quelques scènes, mais Dorante n'est pas un insecte et, dès sa première apparition à la scène 6 de l'acte I, en habit de valet, la jeune fille va devoir malgré elle abandonner le coup d'œil froid du scientifique pour le regard plus humain de celle qui vient d'être surprise par l'amour.

Les dangers de l'expérience : la surprise de l'amour

Alors qu'elle se préparait à observer un jeune noble, sans savoir pourquoi, Silvia est troublée par son (pseudo)-valet arrivé le premier – comme par hasard – dans la maison de M. Orgon. La surprise est là, sans qu'aucun des protagonistes ne le sache encore. Le spectateur, pour sa part, la voit s'insinuer dans leur esprit. Les futurs amants sont la proie d'une sorte de « je-ne-sais-quoi ». En même temps, il y a entre eux une communauté de langage, un tour d'esprit identique, un respect mutuel dont ils n'ont pas encore conscience, mais que tous ceux qui les entourent perçoivent très nettement. Cette surprise, d'ailleurs, affleure souvent au niveau de la conscience sans que les intéressés s'en rendent compte. Silvia ne dit-elle pas, la première fois où elle voit Dorante/Bourguignon : « Je veux que Bourguignon m'aime » ? Elle ne sait pas encore quelle parole prophétique elle vient de laisser échapper.

La mise à l'épreuve

On a écrit, à propos de la surprise marivaudienne, que si elle éclatait, c'est parce qu'il y avait mystère. Il n'y a pas de pièce pour laquelle cette remarque soit plus appropriée que pour le *Jeu*. Le mystère c'est, bien sûr, d'abord le mystère de l'Autre, quel qu'il soit. Il faut le déchiffrer, parvenir à le lire afin qu'il ne représente plus une énigme, donc un danger potentiel. Mais le mystère réside surtout dans une double question : pourquoi est-ce que j'aime celui-ci et non pas celui-là, et pourquoi est-ce que je l'aime ? Cette double question ne cesse de hanter Silvia jusqu'à ce qu'elle apprenne, avec soulagement, que Bourguignon est Dorante. Le fait que la surprise de l'amour engendre ce double questionnement va induire une mise à l'épreuve qui constitue le fil conducteur de la pièce. Dorante sera ainsi, jusqu'à l'avant-dernière scène, mis sur le grill par Silvia. Il ne s'agit pas de coquetterie ; la jeune fille veut s'assurer qu'elle sera aimée pour elle-même, elle veut être sûre que, dans la demande amoureuse, dans le désir de l'autre, c'est son être même qui est reconnu et non pas son paraître, son rang ou sa fortune. Mais rien n'est jamais à sens unique chez Marivaux. Dorante aussi met Silvia à l'épreuve, mais moins longtemps qu'elle ne le fait elle, parce que rapidement son regard à lui devient admiratif et perd toute lucidité. Le regard de Dorante tient dans cette réplique qui ouvre la fameuse scène 8 de l'acte III : « Qu'elle est digne d'être aimée ! » Ensuite ce regard s'inverse et se retourne vers l'intérieur : le jeune homme se met à se scruter lui-même, parce qu'il ne se comprend plus et qu'il lui faut s'éprouver, pour savoir ce qu'il est en train de devenir, ou ce qu'il est devenu. Chez Marivaux, les regards ne cessent de se croiser et de s'inverser. En effet, les êtres qui s'aiment, se regardent et s'observent parce qu'ils sont mystérieux les uns pour les autres, mais le regard change aussi de direction pour se transformer en regard vers soi-même, car celui qui aime devient également sa propre énigme. Ainsi, l'épreuve, en même temps qu'épreuve de l'autre, est épreuve de soi.

L'amour contre lui-même

Cependant, les amoureux de Marivaux ne sont pas que regard. Ils sont aussi le siège d'un combat intérieur dont l'issue reste longtemps douteuse et dont ils ne savent pas, jusqu'au dernier instant, s'ils parviendront à se sortir. Silvia et Dorante ne s'opposent pas au monde comme le font les amants classiques, ils s'opposent à l'amour. Chez l'un comme chez l'autre, en effet, l'amour entre en conflit avec l'amour-propre. La situation dans laquelle ils se sont volontairement mis bouleverse tous leurs repères. Victimes tous les deux de la surprise, ils sont obligés d'admettre qu'ils aiment en dehors de leur classe sociale. Car l'amour ne les rend pas aveugles : Silvia aime le domestique Bourguignon et Dorante la soubrette Lisette, mais leur rang social, leur éducation, leur esprit de caste, bref, tout ce qui constitue leur amour-propre leur fait repousser cet amour qui s'empare d'eux et les laisse désorientés, malheureux et étrangers à eux-mêmes.

Une expérience du vide dans un flot de paroles

Cette tension entre l'amour et l'amour-propre leur fait perdre leur identité. Petit à petit, ils se dépouillent de ce qu'ils étaient avant la crise nuptiale. Ils font alors une expérience qui s'apparente à celle du vide intérieur en n'étant plus ce qu'ils étaient au départ et en n'étant pas encore ce qu'ils seront lors du dénouement. Silvia éprouve cet état de façon paroxystique dans la scène 11 de l'acte II, lorsque son père et son frère la font sortir de ses gonds à propos de Dorante/Bourguignon : elle ne sait plus où elle en est et profère un flot de paroles contradictoires. Dorante, quant à lui, connaît aussi cet état, depuis la scène où Mario lui apprend que lui-même est amoureux de Lisette jusqu'à l'avant-dernière scène du *Jeu*, avant qu'il ne rende les armes à Silvia/lisette. Le langage, même incohérent, dans cette expérience vertigineuse du vide, demeure malgré tout la seule planche de salut.

APPRENDRE À ÊTRE AUTRE

L'échange

L'amour chez Marivaux, c'est aussi l'expérience de l'altérité : apprendre à être autre et à être autrui. Être autrui, ce sera le résultat du quadruple travestissement du *Jeu*, mais l'expérience ne sera pas vécue de la même façon selon qu'on est maître ou serviteur. Les serviteurs ne sont pas, pour leur part, en proie à la surprise : ils aiment tout simplement, pourrait-on dire. Ils vivent leur travestissement avec gaieté et enjouement. Ils se mettent dans la peau d'un autre et jouissent du rôle qui leur est offert pour quelques heures ou quelques jours. Il en va de même pour l'expérience de l'amour : ils le vivent avec plaisir, leur seul problème étant que leur mariage dépend de celui de leurs maîtres. Les jeunes maîtres, eux, vivront leur travestissement de façon parfois douloureuse. Le changement d'habit griffe leur amour-propre. Une fois le premier instant d'amusement passé, tout devient complexe. Silvia se sent salie par les regards que l'on porte sur elle travestie en soubrette. Elle ne supporte pas que l'on puisse penser qu'elle entretient une quelconque relation amoureuse avec Bourguignon. Outre le regard des autres, intervient ce qu'ils ressentent en eux-mêmes. Silvia et Dorante sont la proie d'une sorte de dédoublement de la personnalité. Certes, ils savent toujours qui ils sont, mais ils vivent des moments désagréables pour leur amour-propre, lorsque leurs propres domestiques les traitent à leur tour en domestiques. Ils découvrent un monde qui les dérange, un monde autre : celui des humbles qu'ils côtoyaient jusque-là sans vraiment les voir. Cette découverte, bien sûr, ne va pas jusqu'à une prise de conscience révolutionnaire, mais elle les projette dans un univers soudainement désordonné : ils éprouvent sans cesse le besoin de se rassurer et de se rappeler qu'ils sont les maîtres, comme cela se passe dans chaque scène entre Dorante et Arlequin ou entre Silvia et Lisette. Plus la pièce avance, plus l'habit qu'ils portent devient pesant et même presque carcéral.

Une parole qui peut se dire

Ils en ont cependant besoin de cet habit. C'est pour eux le seul moyen de se parler vraiment tant qu'ils n'ont pas dépassé la surprise. Sans le paravent de l'habit, il leur serait difficile d'avoir un dialogue amoureux, contraire aux bienséances. Dès la première rencontre, l'habit qu'ils portent instaure entre eux une familiarité respectueuse : ils se tutoient et ne parviendront plus à se parler sur un autre mode. En même temps qu'il les rapproche – plus que ne le feraient des fiançailles officielles – le travestissement installe entre eux un fossé qui leur paraît infranchissable en raison de leur amour-propre.

De la provocation des parents et des valets

Les valets travestis deviennent, du fait même du déguisement, des provocateurs qui arrivent à point nommé. Le spectacle qu'ils offrent, déguisés en maîtres, va vite devenir insupportable à ces derniers. Dès sa première entrevue seul à seul avec Arlequin, Dorante lui demande d'être sérieux ; Lisette a des façons de parler qui mettent Silvia hors d'elle. L'image que leur renvoient les valets leur devient vite odieuse. Pourtant, c'est en partie grâce au couple Arlequin/Lisette que la situation va se dénouer. Leurs amours vont vite et s'épanouissent dans la bonne humeur. Ils sont une sorte d'exemple, qu'on ne peut sans doute pas suivre mais qu'on envie. Eux au moins s'aiment et se le disent. Ils se le disent tellement que leur mariage qui approche va servir de détonateur. En effet, c'est lorsque que Dorante apprend, avec étonnement, que son valet Arlequin va épouser la fille de la maison, qu'il perd tout contrôle sur lui-même et prend la décision de s'en aller, décision qui fera tout basculer dans l'avant-dernière scène. En outre, Lisette est, pour Silvia, le modèle d'un désir amoureux qui s'accepte. À la scène 5 de l'acte III, le départ triomphant de Lisette vers l'amour – vers son « chef-d'œuvre » – même s'il s'accompagne des vœux de Silvia, n'est certainement pas sans laisser en celle-ci au moins une légère trace d'envie. La joie avec laquelle les serviteurs s'aiment est une provocation pour les maîtres qui ne parviennent pas à se dire de façon définitive leur amour. Cet exemple, cette envie, cet engrenage aussi ne sont pas pour rien dans le dénouement final. C'est ce qu'a très bien compris Orgon qui favorise les amours de ceux qu'il sait être des domestiques travestis.

Il n'y a pas de hasard dans l'amour

Dans la dernière scène, tout rentre dans l'ordre. Les maîtres s'épousent entre eux et les valets font de même. Ce retour à l'harmonie montre bien qu'il n'y a pas de hasard dans l'ordre de l'amour : les valets auront rêvé, les maîtres auront eu peur, mais maintenant chacun reprend sa place. En conclure que le *Jeu* est une pièce réactionnaire serait commettre un anachronisme. Elle est de son temps : du premier tiers du XVIIIe siècle. Néanmoins, l'amour aura servi à nous donner une bonne photographie de certaines des mœurs du temps : les enfants ne veulent plus du mariage tel qu'il se pratique à l'époque, et les valets commencent très légèrement à s'émanciper de la bêtise dans laquelle les confinait le théâtre classique.

TOUT N'EST QUE PAROLE OU LE LANGAGE RETROUVÉ

Dans *Le Jeu de l'amour et du hasard*, on trouve très peu des ingrédients habituels de la farce et de la comédie : Arlequin reçoit bien quelques coups de pied et le texte l'autorise à exécuter une cabriole, mais point de bastonnade, peu d'injures, etc.

La parole conventionnelle

Le marivaudage, nous l'avons dit, est un itinéraire, une aventure. Et cette aventure est avant tout une aventure du langage. Les personnages, en effet, avant de parvenir au mariage, vont passer par différentes phases, chacune étant caractérisée par un type de discours, par une forme de parole spécifique.

La première phase, la plus courte dans la pièce, est celle de la parole conventionnelle. Il suffit d'écouter Silvia s'adressant à Lisette dans la première scène pour se rendre compte qu'elle a parfaitement intégré la parole des maîtres : ton péremptoire, parfois à la limite du mépris. C'est un langage de supérieur à inférieur. Silvia y recourra plusieurs fois dans la pièce lorsqu'elle voudra se rappeler son identité première.

Une parole faussement empruntée

Sous l'habit de soubrette, nous l'avons vu plus haut, Silvia peut parler à Dorante sans s'embarrasser des codes sociaux du langage. La parole amoureuse devient donc possible, même si la question du mariage reste bannie pour cause d'amour-propre. En réalité, c'est une parole faussement empruntée, et les deux jeunes gens ne font que le croire, car s'ils commencent par se distinguer et s'ils finissent par se reconnaître, c'est bien malgré tout parce que leur langage demeure, mais il a gagné en naturel et en simplicité.

Une parole nouvelle

Il en résulte une parole nouvelle qui ne l'est ni par sa syntaxe ni par son lexique ou son niveau. La nouveauté de cette parole vient de ce que, désormais, elle accepte l'amour et donne sa place au désir. C'est une langue qui de prude est devenue sexualisée, sans vulgarité, sans rien de choquant. Elle sait dire le sentiment et le désir amoureux, et elle le fait avec bonheur.

MARIVAUX ET LA COMÉDIE

Œuvre d'un écrivain polygraphe, le théâtre de Marivaux en porte les traces, tant dans dans sa forme que dans sa thématique.

Marivaux se voulait moderne – et pour son époque, il l'était. C'est volontairement – les mauvais esprits diront qu'il ne savait pas versifier – qu'il écrit ses pièces en prose, et ce, non par esprit de provocation, mais par souci de **naturel**. Lui qui a tant écrit en pensant aux acteurs italiens ne pouvait qu'être, non pas gêné, mais contrarié par la contrainte du vers. La spontanéité se coule plus facilement dans la prose que dans la métrique du vers. D'autre part, pour gagner en nervosité, en rapidité, dans le déroulement dramatique de ses pièces, il rompt avec les sacro-saints cinq actes de la dramaturgie classique, qu'elle soit tragique ou comique. Il écrit en trois actes et parfois en un seul.

Mais ce n'est pas tant par la forme qu'il rénove le genre comique que par sa manière d'en renouveler la thématique, ainsi que par le rythme qu'il imprime à ses pièces.

L'amour

Les comédies de Marivaux sont à l'évidence des comédies de l'amour. Quoi de plus traditionnel dans la comédie ? C'est pourtant et d'abord dans ce thème du sentiment amoureux qu'il renouvelle le genre. L'amoureux ne s'oppose plus aux autres ou à la société, mais à lui-même. C'est en son for intérieur que se déroule le combat. Il est lui-même l'ennemi de l'amour qu'il porte en lui, non parce qu'il condamne la passion comme le fait, par exemple, l'héroïne de *La Princesse de Clèves*, au siècle précédent, mais parce que l'amour-propre, chez le héros marivaudien, n'est pas un sentiment négatif : il est une certaine forme de conscience de soi, conscience qui ne veut pas s'abandonner, se laisser détruire ou transformer. Certes, la métamorphose interviendra, mais chaque amoureux aura lutté pour conserver une image de lui qu'il juge positive.

Il aura lutté et en même temps, il se sera interrogé. Cette interrogation entraîne que, chez Marivaux, pour forte qu'elle soit, la passion n'est pas un feu dévorant. Nous sommes là, déjà, de plain-pied dans le XVIIIe siècle : la passion peut s'accommoder de la raison. Plus, elle devient le mobile d'une réflexion sur soi qui permet à l'être de progresser au lieu de s'anéantir. Marivaux est le poète de l'amant qui, s'il se perd dans le sentiment amoureux, est, en fin de compte, un passionné lucide.

Parallèlement à cet effort de lucidité qu'il provoque, l'amour est aussi l'occasion de **voir** le monde. Traditionnellement, l'amoureux est circonscrit en lui-même. Chez Marivaux, par la force de la machine dramatique, que cela lui plaise ou non, l'amoureux s'ouvre ; il regarde, vit, éprouve et subit le monde qui l'entoure. C'est à ce prix qu'il se transformera et accèdera au bonheur. L'amour devient alors regard social, découverte de l'extérieur. Regard qui ne trouble pas l'ordre, mais qui constate. Dorante et Silvia ont fait, à leurs risques et périls, ce voyage du dedans vers le dehors.

Une dynamique dramatique originale : du désordre à l'harmonie

Marivaux, dans le domaine de la dynamique dramatique de la pièce, instaure une ligne nouvelle qui fera dire à ses détracteurs qu'il écrit toujours la même comédie.

Ses comédies – on l'a dit dès le XVIIIe siècle – sont des comédies de la surprise. Surpris par l'amour, les personnages sont embarqués dans une aventure qui les conduira au bout d'eux-mêmes. Les étapes de la progression sont sensiblement les mêmes d'une comédie à l'autre, mais la situation de départ est toujours différente, comme si l'auteur s'ingéniait à varier les données de l'expérience. Le plus caractéristique de cette subtile mécanique, c'est qu'à chaque fois les héros sont pris dans un piège, qui n'est un piège que pour eux, mais jamais pour le spectateur ou les meneurs de jeu comme Orgon et Mario dans le *Jeu*. Marivaux travaille son écriture comme un véritable psychologue clinicien. Mais, à la différence du scientifique qui observe combien il aura fallu de détours à un rat de laboratoire pour sortir du labyrinthe expérimental où il a été placé, chez Marivaux, l'humain jaillit à chaque scène. En effet, jamais ses personnages ne se départissent de leur dignité, jamais ils ne cessent d'être de chair et d'os, jamais ils ne s'éloignent de nous. Humains ils sont, humains ils resteront parce que, au milieu de la tourmente, ils conservent le langage.

Quand tout semble perdu, quand le sol s'effondre, il ne demeure plus que la parole. Les psychanalystes le savent bien, tout comme chacun d'entre nous. Les personnages de Marivaux parlent, même – et surtout – lorsqu'ils ne savent plus où ils en sont. Ils appliquent la leçon de leur créateur : même si le langage est codé comme l'est toute chose humaine, il est néanmoins tout ce qui reste lorsque les repères vacillent. Peu importe l'ordre dans lequel les mots viennent, peu importe les incohérences : un mot rebondit toujours sur un autre et nous mène ainsi jusqu'à un ordre retrouvé. Dans cette fantaisie langagière, à laquelle il tenait tant et qui est le fondement du marivaudage, il y a tout le « Naturel » de Marivaux et une manière de prescience de l'inconscient et de la psychanalyse.

Le style de Marivaux

Le style de Marivaux fut mal aimé de ses contemporains, qui n'y ont vu, la plupart du temps, qu'un mélange de préciosité et de faux naturel. D'Alembert, par exemple, dans son *Éloge de Marivaux*, n'hésite pas à parler de « [...] jargon [...] entortillé, [...] précieux, [...] éloigné de la nature. »

Le style de Marivaux se dégage avant tout de son art du dialogue. Il ne s'agit pas d'un dialogue qui repose sur une logique consciente – celle de personnages en train d'argumenter – mais d'un dialogue, apparemment décousu, dans lequel le mot rebondit au gré des sentiments conscients ou inconscients des protagonistes. Cependant, ce dialogue vif et brillant n'est pas du bavardage. Les mots constituent, en effet, une espèce de fil que chacun finira bien par saisir, après en avoir perçu le véritable sens. À cet égard, le ton est donné dès la scène 5 de l'acte I, dans laquelle Dorante, troublé par Silvia, se déclare son « serviteur ». Le mot est ici à double sens, et il faudra presque toute la pièce pour que Silvia parvienne à se convaincre que ce « serviteur » était déjà un mot d'amour.

Ce décousu, trompeur, du dialogue de Marivaux confère à son style une fantaisie qui n'appartient qu'à lui. Le double sens favorise, en effet, le jeu de mot, le trait d'esprit et la parodie. Cependant, et contrairement à ce qui lui a été reproché, Marivaux ne tombe jamais dans la gratuité, et là est sa force. Cette fantaisie verbale n'est pas un ornement, mais la traduction de la spontanéité de personnages agités par des sentiments vifs et divers. Ce qu'on cherche à cacher, ou à ne pas dire encore, jaillit néanmoins et nous fait passer du jeu à l'aveu, du plaisant au grave. En effet, derrière cette fantaisie verbale se cachent un effort de sincérité vis-à-vis de soi-même et une tentative d'élucidation d'un monde qui se brouille.

Enfin, il est un autre point qui caractérise le style de Marivaux, c'est sa maîtrise du langage parlé. Nul mieux que lui ne sait utiliser toutes les ressources qu'offre, en ce domaine, le théâtre. Lorsqu'on lui reproche la préciosité de son style, il répond « naturel », et il a raison. Il fait alterner, avec brio, les différents registres de la langue parlée, passant avec aisance du bouffon au sensible, du conventionnel froid à l'analyse émue, voire poétique. À ce titre, Arlequin est un modèle : il est, tour à tour, balourd, sérieux, ému et fin, et parfois même revendicatif.

Le langage, pour Marivaux, n'est pas seulement un jeu de style, il est aussi – et peut-être avant tout – l'expression d'une conviction humaniste : c'est par le langage que nous parvenons au meilleur de nous-mêmes.

Lexique

VOCABULAIRE CRITIQUE

allégorie : représentation concrète d'une idée. Par exemple, une faux pour la mort.

antiphrastique : figure qui consiste à employer un mot ou une expression avec un sens contraire – c'est un procédé de l'ironie. Exemple : dire d'un imbécile qu'il est un génie.

aparté : propos qu'un personnage n'adresse qu'à lui-même.

art poétique : règles qu'il convient d'observer pour la rédaction d'une œuvre littéraire. Règles qu'un auteur s'impose à lui-même.

badinage : plaisanterie légère.

barbon : c'est ainsi que l'on appelait les vieillards dans la comédie classique car ils portaient la barbe.

burlesque : d'un comique grotesque, extravagant et souvent parodique (voir « parodie », *infra*).

cheville : terme d'abord réservé à la poésie, où la cheville est un mot permettant d'obtenir la mesure du vers. Par suite, tout procédé ne se justifiant que pour des raisons de composition, de construction d'une œuvre.

comédie italienne/*commedia dell'arte* : forme de comédie populaire provenant d'Italie. Les personnages y sont toujours les mêmes – Arlequin par exemple – et leur jeu de scène est très proche du mime. Elle avait un très grand succès en France au XVIIIe siècle.

deus ex machina : expression latine signifiant à la lettre : « un dieu (descendu) au moyen de machines » ; dénouement peu vraisemblable dans une pièce de théâtre.

dramaturgie : art de la composition dramatique ; manière dont un auteur organise sa pièce.

élégie : poème exprimant une plainte douloureuse, un sentiment mélancolique.

exposition : scènes d'introduction dans lesquelles nous sont présentés les personnages et l'intrigue.

hyperbole : façon exagérée de s'exprimer.

imbroglio : terme italien, que l'on peut traduire par « embrouille » : intrigue compliquée dont on ne voit pas comment on pourrait se sortir.

lazzi : terme italien. Un lazzi est une plaisanterie, une moquerie bouffonne.

Lumières : les Lumières désignent le XVIIIe siècle ou siècle de la Raison.

marivaudage : au sens péjoratif (que le terme prend dès le XVIIIe siècle) : badinage maniéré. Aujourd'hui, le terme désigne un conflit entre l'amour et l'amour-propre, conflit dans lequel le langage joue un rôle de révélateur.

mésalliance : épouser quelqu'un d'une position sociale inférieure.

métaphore : figure de rhétorique proche de la comparaison.

monologue : scène, ou partie de scène, dans laquelle un personnage parle seul.

ontologie : ce qui se rapporte à l'existence. Les personnages de Marivaux cherchent à se faire reconnaître en tant qu'êtres.

préciosité : recherche exagérée du raffinement et, notamment, dans la conversation.

protagonistes : acteurs principaux d'une pièce de théâtre.

quiproquo : malentendu, mauvaise interprétation. Exemple : prendre quelqu'un pour un autre.

salons : au XVIIIe siècle, les artistes et les écrivains avaient l'habitude de se rencontrer périodiquement au domicile d'une femme de la haute bourgeoisie ou de l'aristocratie.

sybillin : propos à double sens, ou dont le sens est obscur.

utopie : littéralement : « de nulle part ». Vision politique ou sociale qui ne tient pas compte de la réalité.

VOCABULAIRE DE L'ŒUVRE

accomoder (s') : se mettre d'accord (III, 1).

ajuster (s') : s'habiller (I, 2).

aller son train : agir (II, 1).

amant : celui qui aime : le soupirant, le fiancé (I, 1).

amuser : perdre son temps (I, 3).

apostille : note ajoutée dans la marge d'une lettre, d'un contrat ou d'un texte (II, 11).

à vue de pays : juger sans entrer dans les détails (II, 1).

bien conditionné : ayant les qualités demandées (III, 5).

butor : grossier personnage (I, 8).

cabinet : lieu de travail ou pièce où l'on reçoit dans l'intimité (I, 1).

contrefaire (se) : se donner une apparence trompeuse (I, 1).

crocheteur : porteur (I, 4).

engagement : mariage (II, 13).

établir : marier et donner une situation (II, 3).

événement : résultat (II, 12).

exposer : mettre en danger (III, 8).

future : fiancée (I, 3).

garde-robe : vêtements (I, 6).

généreuse : avoir de la noblesse d'esprit (III, 8).

habit d'ordonnance : uniforme (III, 7).

homme de condition : personne noble (I, 6).

hôtel : maison noble (I, 7).

et il est tout au plus uni : il est commun, il est habituel (III, 4).

imagination : idée folle (I, 3).

imposer à quelqu'un (en) : gagner son respect (II, 10).

intrigué : embarrassé (III, 4).

jouer de (se) : se moquer de (I, 5).

l'étourdir sur la distance : le troubler fortement (I, 4).

magot, magotte (masc. et fém.) : singe laid (III, 6).

martinet : petit chandelier (II, 5).

mons : abréviation familière de monsieur (I, 5).

mouvements : ce mot, selon le dictionnaire de l'Académie, désignait tout ce qui pouvait troubler l'âme, l'esprit de quelqu'un (II, 11).

portemanteau : valise (I, 7).

pousser sa pointe : grimper dans l'échelle sociale, avancer dans le monde (III, 7).

remercier : renvoyer avec politesse (I, 2).

rêver : réfléchir à quelque chose (I, 2).

roquille : la plus petite mesure servant pour mesurer le vin (II, 3).

souffrir : permettre (III, 1).

souquenille : manteau de voyage de valet (III, 7).

sur ce pied-là : à cette condition (II, 1).

tantôt : tout à l'heure (III, 2).

transport : passion (III, 8).

vertuchoux : juron de comédie venant de *vertudieu* : vertu de Dieu (I, 1).

Quelques citations

Deux jeunes filles devant le mariage

SILVIA. – Tu ne sais ce que tu dis ; dans le mariage, on a plus souvent affaire à l'homme raisonnable qu'à l'aimable homme : en un mot, je ne lui demande qu'un bon caractère, et cela est plus difficile à trouver qu'on ne pense ; on loue beaucoup le sien, mais qui est-ce qui a vécu avec lui ? Ces hommes ne se contrefont-ils pas, surtout quand ils ont de l'esprit ? (I, 1)

SILVIA. – [...] Cela est terrible, qu'en dis-tu ? Songe à ce que c'est qu'un mari.

LISETTE. – Un mari ? c'est un mari ; vous ne deviez pas finir avec ce mot-là, il me raccommode avec tout le reste. (I, 1)

Le stratagème

SILVIA. – Dorante arrive ici aujourd'hui ; si je pouvais le voir, l'examiner un peu sans qu'il me connût ; Lisette a de l'esprit, Monsieur, elle pourrait prendre ma place pour un peu de temps, et je prendrais la sienne. (I, 2)

Les maîtres du jeu

MONSIEUR ORGON. – Nous verrons un peu comment elle se tirera d'intrigue.

MARIO. – C'est une aventure qui ne saurait manquer de nous divertir, je veux me trouver au début, et les agacer tous deux. (I, 4)

La surprise de l'amour et la découverte de l'autre

SILVIA : [...] et moi, je veux que Bourguignon m'aime. (I, 6)

MARIO. – Mons Bourguignon, vous avez pillé cette galanterie-là quelque part.

DORANTE. – Vous avez raison, Monsieur, c'est dans ses yeux que je l'ai prise. (I, 6)

DORANTE, *à part*. – Cette fille-ci m'étonne, il n'y a point de femme au monde à qui sa physionomie ne fît honneur, lions connaissance avec elle. (I, 7)

SILVIA, *à part*. – Quel homme pour un valet ! (I, 7)

Trouble de Silvia

SILVIA. –Je frissonne encore de ce que je lui ai entendu dire. Avec quelle impudence les domestiques ne nous traitent-ils pas dans leur esprit ! Comme ces gens-là vous dégradent ! Je ne saurais m'en remettre ; je n'oserais songer aux termes dont elle s'est servie, ils me font toujours peur. Il s'agit d'un valet. Ah l'étrange chose ! Écartons l'idée dont cette insolence est venue me noircir l'imagination. Voici Bourguignon, voilà cet objet en question pour lequel je m'emporte ; mais ce n'est pas sa faute, le pauvre garçon, et je ne dois pas m'en prendre à lui. (II, 8)

Égarement de Dorante

DORANTE, *à part*. – Qu'elle est digne d'être aimée ! Pourquoi faut-il que Mario m'ait prévenu ? (III, 8)

L'honneur de Silvia et la noblesse d'âme de Dorante

DORANTE. – Ah, ma chère Lisette, que viens-je d'entendre ? Tes paroles ont un feu qui me pénètre. Je t'adore, je te respecte. Il n'est ni rang, ni naissance, ni fortune qui ne disparaisse devant une âme comme la tienne. J'aurais honte que mon orgueil tînt encore contre toi, et mon cœur et ma main t'appartiennent. (III, 8)

L'aveu à peine déguisé de Silvia

SILVIA. – [...] La distance qu'il y a de vous à moi, mille objets que vous allez trouver sur votre chemin, l'envie que l'on aura de vous rendre sensible, les amusements d'un homme de votre condition, tout va vous ôter cet amour dont vous m'entretenez impitoyablement. Vous en rirez peut-être au sortir d'ici, et vous aurez raison. Mais moi, Monsieur, si je m'en ressouviens, comme j'en ai peur, [...] qui est-ce qui me dédommagera de votre perte ? Qui voulez-vous que mon cœur mette à votre place ? Savez-vous bien que si je vous aimais, tout ce qu'il y a de plus grand dans le monde ne me toucherait plus ? Jugez donc de l'état où je resterais. Ayez la générosité de me cacher votre amour. Moi qui vous parle, je me ferais un scrupule de vous dire que je vous aime, dans les dispositions où vous êtes. L'aveu de mes sentiments pourrait exposer votre raison, et vous voyez bien aussi que je vous les cache. (III, 8)

La parodie de la préciosité

ARLEQUIN, *en lui baisant la main*. – Cher joujou de mon âme ! cela me réjouit comme du vin délicieux. Quel dommage de n'en avoir que roquille. (II, 3)

ARLEQUIN. – De la raison ! hélas ! je l'ai perdue ; vos beaux yeux sont les filous qui me l'ont volée. (II, 3)

La « revanche » sociale d'Arlequin

ARLEQUIN. – Pardi ! oui ! La pauvre enfant ! j'ai trouvé son cœur plus doux qu'un agneau ; il n'a pas soufflé. Quand je lui ai dit que je m'appelais Arlequin, et que j'avais un habit d'ordonnance : « Eh bien mon ami, m'a-t-elle dit, chacun a son nom dans la vie, chacun a son habit. Le vôtre ne vous coûte rien. » Cela ne laisse pas d'être gracieux. (III, 7)

ARLEQUIN. – Je veux bien que vous sachiez qu'un amour de ma façon n'est point sujet à la casse, que je n'ai pas besoin de votre friperie pour pousser ma pointe, et que vous n'avez qu'à me rendre la mienne. (III, 7)

La dernière pirouette d'Arlequin : un lazzi à l'italienne

ARLEQUIN. – Allons, saute, Marquis ! (III, 9)

Jugements critiques

XVIIIe SIÈCLE

Si le public de l'époque prend le plus grand plaisir aux pièces de Marivaux, ne serait-ce que parce que le théâtre italien est à l'honneur et que les foules en raffolent, la critique, encore fortement marquée par le goût classique, le boude. On lui reproche de mal construire ses pièces et, notamment, *Le Jeu de l'amour et du hasard*.

Le fameux « deuxième-troisième » acte

Le *Mercure de France* du 30 juin 1730 qui, pourtant, devrait être favorable à Marivaux puisque celui-ci y a commencé sa carrière, ne comprend pas la construction de la pièce : « On aurait voulu que le second acte eût été le troisième, et l'on croit que cela n'aurait pas été difficile ; la raison qui empêche Silvia de se découvrir après avoir appris que Bourguignon est Dorante, n'étant qu'une petite vanité, ne saurait excuser son silence ; d'ailleurs, Dorante et Silvia étant les objets principaux de la pièce, c'était par leur reconnaissance qu'elle devait finir, et non par celle d'Arlequin et de Lisette, qui ne sont que les singes, l'un de son maître, l'autre de sa maîtresse. »

Les critiques de d'Alembert

À la fin du siècle, d'Alembert rédige un *Éloge de Marivaux* dans lequel il reprend à son compte un certain nombre de critiques que les contemporains adressaient à l'auteur du *Jeu*, critiques portant sur « l'éternelle surprise de l'amour » et sur le style :

« Cette éternelle surprise de l'amour, sujet unique des comédies de Marivaux, est la principale critique qu'il ait essuyée sur le fond de ses pièces [...]. »

« Le style peu naturel et affecté de ces comédies [...], ce singulier jargon, tout à la fois précieux et familier, recherché et monotone [...]. »

ANNEXES

LA CRITIQUE MODERNE

Si le XIXe siècle n'a pas méconnu Marivaux, il faut attendre le XXe siècle pour que son œuvre soit vraiment reconnue. Frédéric Deloffre, dans sa thèse, *Une préciosité nouvelle, Marivaux et le marivaudage*, redéfinit cette notion : « Le marivaudage nous est apparu comme un badinage, non pas libertin, mais grave au fond, comme l'alliance d'une forme de sensibilité et d'une forme d'esprit. »

Jean Rousset, pour sa part, montre bien, dans « Marivaux et la structure du double registre » (chapitre III de son ouvrage *Forme et Signification*), la fonction qu'occupe chacun des personnages dans le théâtre marivaudien : « Les amoureux vont sans se voir, [être] entraînés dans le mouvement du sentiment [...] Aux personnages latéraux sera réservé la faculté de « voir », de regarder les héros vivre la vie confuse de leur cœur. [...] Ce sont les personnages témoins, [...] délégués indirects du dramaturge dans la pièce. De l'auteur, ils détiennent quelques-uns des pouvoirs : l'intelligence des mobiles secrets, la double vue anticipatrice, l'aptitude à promouvoir l'action et à régir la mise en scène des stratagèmes et comédies insérés dans la comédie. »

Le théâtre pur

Laissons pour finir la parole à un grand homme de théâtre, Louis Jouvet, qui, lors d'une conférence prononcée le 6 février 1939, dit ceci : « [...] l'invraisemblance de ses intrigues, son marivaudage et son écriture, la difficulté qu'on a de l'écouter et surtout la difficulté qu'on a de le jouer, ne sont que la conséquence de sa perfection dramatique. Ses pièces, offrant toutes la même intrigue, ne sont presque plus que des schémas où le personnage devient un spectre du sentiment qu'il veut peindre. C'est un théâtre pur. »

Index thématique

Le numérotage des scènes correspond à celui de l'édition originale, reprise par toutes les éditions récentes sauf celle de la collection « Univers des lettres » chez Bordas.

Plans et sujets de travaux

ANNEXE 3

DISSERTATION (PLAN DÉTAILLÉ)

SUJET : Vous discuterez ce jugement de Bernard Dort sur *Le Jeu de l'amour et du hasard* : « Jamais Marivaux ne nous avait encore montré quelle débâcle l'amour peut provoquer dans un être. »

Analyse du sujet

– Voici un sujet sans grande difficulté. Il est simple, mais pose une question qui est au centre du *Jeu de l'amour et du hasard* : dans ce jeu, un être peut se perdre corps et biens.

– Le terme de débacle est important : il doit être pris dans son sens le plus fort, il s'agit véritablement d'un effondrement. Toutes les valeurs préexistant à la surprise de l'amour, notamment celles de Silvia, s'écroulent. Les choses ne rentreront dans l'ordre que par le triomphe final de l'amour.

– Il faut limiter le sujet, ne serait-ce que pour des commodités de plan. Cette débâcle concerne les deux amants, mais c'est Silvia qui est au centre de la pièce, c'est elle qui va en vivre toutes les étapes, toutes les péripéties, dans leur plus grande intensité.

– À partir de ces considérations préliminaires, le plan est simple à construire : il faut, d'une part, étudier les différents aspects de cet effondrement et, d'autre part, les ordonner.

Introduction

a. Le *Jeu* nous présente une jeune fille de son temps, moderne, équilibrée, qui ne veut pas que sa vie soit bouleversée par un mariage malheureux.

b. Pourtant, comme l'écrit Bernard Dort : « Jamais Marivaux ne nous avait encore montré quelle débâcle l'amour peut provoquer dans un être. »

c. C'est donc les différents aspects de cet effondrement qu'il nous faut maintenant considérer.

Développement

1. La débâcle de l'être ancien, la perte d'un passé

a. La crainte d'être livrée pieds et poings liés à un inconnu.

Silvia est, au début de la pièce, une jeune fille qui a grandi dans une famille aimante et qui connaît tous les repères du monde qui l'entoure. Elle sait où elle est et qui elle est. Elle connaît ses sentiments, elle ne veut pas tomber dans la dépendance d'un être qui lui soit totalement inconnu.

b. Accepter un mariage de convenances, c'est s'exposer à la débâcle de soi-même. L'expérience le prouve.

Silvia est une jeune fille des Lumières naissantes, elle a les yeux ouverts, elle se fie à l'expérience. Or ce qu'elle voit des mariages autour d'elle, n'est que débâcle pour l'épouse, tromperie, échec et malheur. Tel mari, Ergaste, est aimable au-dehors mais brutal, sombre et farouche au logis. Léandre est aimable quand on le voit, mais suinte l'ennui dans sa famille. Quant à Tersandre, il est galant avec toutes les femmes sauf avec la sienne. Bref ! pour une jeune fille moderne, le mariage est une débâcle de l'amour, pour autant que ce dernier ait existé auparavant.

c. Pour éviter un tel échec, il faut être lucide et mettre à l'épreuve le futur mari.

Pour tenter d'éviter cette déchéance que le mariage peut être pour la femme, il faut se donner les moyens de connaître l'Autre, celui dont il faudra partager la vie. Pour ce faire, n'hésitons pas à nous dépouiller de ce que nous sommes, et de jeune fille de bonne famille devenons servante : abandonnons notre nom et notre rang pour devenir l'observatrice de cet animal que l'on nomme un futur mari.

Cependant, l'utilisation d'un stratagème, c'est aussi, sans qu'on le sache, s'exposer à se perdre soi-même, à côtoyer, sur sa route sentimentale, des abîmes que l'on avait pas prévus.

2. La débâcle sociale

a. Le jeu du travestissement social est un jeu dangereux.

Changer d'habits, changer de vie, quoi de plus amusant. Surtout si cela doit donner barre sur les autres, si cela doit donner la puissance d'un regard qui se masque pour épier à son aise. Seulement, chacun ne vit pas où il le veut, chacun vit là où le destin, le hasard l'a fait naître. Donner son habit de maîtresse à une servante, c'est faire d'elle sa maîtresse : très vite, on ne maîtrise plus le jeu social. Silvia, qu'elle le veuille ou non, est parfois sous la coupe de sa suivante. Elle ne se reconnaît plus. Elle ne sait plus qui elle est. Elle sombre dans un vertige qu'elle n'avait pas prévu.

b. Perte de son image ; dégradation de soi-même

Très vite, Silvia se rend compte que les regards que l'on porte sur elle – déguisée en servante – sont, pour son amour-propre, des regards dégradants : « Comme ces gens-là vous dégradent » (II, 8). Elle n'est plus la même aux yeux de qui elle aurait voulu le demeurer, Dorante, mais elle finit aussi par ne plus être la même à ses propres yeux. Elle a peur des regards qui la voient en soubrette, elle souffre des propos qu'elle est contrainte d'accepter : « Je n'oserais songer aux termes dont elle s'est servie, ils me font toujours peur » (II, 8). Ce qui constituait sa personnalité de jeune fille noble, et qu'elle ne remettait pas en question, est en train de s'effilocher : son amour-propre, sa conscience de classe, au fil de la pièce, sont mis à mal. Le travestissement, qui, au départ, était conçu comme un instrument de jeu et de puissance, devient un instrument de perte, de débâcle : on ne se moule pas aussi aisément dans ce qui est différent de soi, on ne devient pas une fausse suivante sans dangers. On risque d'y perdre son être.

3. L'effondrement de l'être

Dans le jeu de l'amour, c'est tout l'être de Silvia qui est ébranlé, et pas seulement son être social.

a. Qui suis-je ?

Silvia ne sait plus où elle en est, elle est littéralement perdue. Elle se trouve dans la crise la plus aiguë de celles qu'ont à vivre les héroïnes de Marivaux. Elle souhaite que l'aveu de Dorante soit celui de l'amour sur la raison, mais durant un temps, c'est sa raison qui chavire. La personne même de Dorante en est évidemment la principale cause, mais les meneurs de jeu, son père et son frère, y contribuent pour beaucoup, eux aussi. À la scène 11 de l'acte II, son frère, qui la pousse à bout, ne se prive pas de lui faire remarquer qu'elle est très agitée. Dans la même scène, il lui fait également cette remarque : « Tu n'en es pas tant la maîtresse que tu le dis bien. » Elle parle de Dorante, mais aussi, par voie de conséquence, de son cœur. Elle se sent prisonnière d'une comédie qui la dépasse et dans laquelle elle ne se retrouve plus : « [...] Ah çà, parlons sérieusement, quand finira la comédie que vous vous donnez sur mon compte ? (II, 11)

b. Débâcle de l'amour-propre.

Ce qui explique cet ébranlement profond de la personnalité, c'est la découverte de l'amour et avec elle le sentiment d'un amour-propre malmené. Elle qui croyait régenter le jeu est prise à son propre piège. Elle, qui croyait dominer l'amour et le désir, s'y trouve soumise. Elle qui pensait diriger sa vie voit celle-ci lui échapper. Enfin, elle qui ne doutait pas de sa supériorité sociale, se retrouve amoureuse d'un valet. Il lui semble que le monde s'effondre sous ses pas.

c. Quand tout s'effondre, le langage vous trahit.

Nous ne serions pas chez Marivaux si le langage n'avait pas la première place. Troublée par Dorante, Silvia ne contrôle plus ni ce qu'elle dit ni ce qu'elle veut : elle souhaite qu'il lui dise « vous » et elle continue à lui dire « tu ». Elle parle un langage de femme du monde sous un habit de servante. Le langage devient biaisé, les mots n'ont plus le même sens, mais surtout, ils ne sont plus protecteurs : sous l'habit de soubrette, la phrase noble ne suffit pas à maintenir la distance avec l'autre. Le langage permettra heureusement de se reconnaître mais, pendant un temps, il aura été une armure bien mince.

Conclusion

La conclusion s'impose qui est celle de la gravité du marivaudage. Marivaux n'est pas celui qui fait badiner d'aimables jeunes gens, mais celui qui sait avec légèreté leur faire côtoyer des gouffres dans lesquels, pendant une bonne partie de la pièce, ils craignent de s'abîmer. Il faut le triomphe de l'amour pour que la comédie ne devienne pas une tragédie.

PLAN DE COMMENTAIRE COMPOSÉ

(Scène 8 de l'acte III)

Introduction

Nous sommes dans l'avant-dernière scène de la pièce. Le dénouement, cependant, est toujours ouvert : Dorante n'a pas demandé Silvia en mariage et celle-ci veut aller jusqu'au bout du jeu, au risque de tout perdre. Elle veut toujours faire passer la raison de Dorante sous le joug du cœur. Pourtant, après un ultime affrontement, l'amour triomphera. Le jeu qui aurait pu être tragique demeure ainsi un jeu de comédie.

Développement

1. Les faux départs de Dorante

a. Le dépit amoureux.

Dorante est jaloux. Mario a trop bien joué son rôle et l'amant de Silvia ne sait plus où il en est. Il ne voit plus d'issue à sa situation, hormis la fuite. À ce moment de la pièce, l'amour est bien, pour Dorante, une véritable débâcle : « Je n'ai plus que faire ici », dit-il à Silvia.

Il est jaloux donc amoureux. Il ne l'a d'ailleurs jamais été autant de toute la pièce. Sa première réplique en aparté le prouve. C'est pourquoi ses départs ne seront que de faux départs, une technique bien connue dans la comédie. Par deux fois il part, par deux fois il revient.

b. Dernier combat entre l'amour et l'amour-propre.

Dans cette scène, l'amour-propre de Dorante est à bout de souffle : chez lui, tout s'en va à vau-l'eau dans la débâcle de l'amour.

Il n'en va pas de même pour Silvia. Certes, elle joue un jeu dangereux, serré, mais elle sait qui elle a en face d'elle. Elle est donc bien décidée à parvenir à ses fins, c'est-à-dire à faire en sorte que Dorante reste et la demande en mariage. En outre, elle a bien discerné les hésitations de Dorante. Elle va donc déployer une stratégie qui sera la dernière du jeu.

– Tout d'abord, elle lui apprend, alors qu'il n'en est rien, que le mariage d'Arlequin/Dorante avec la prétendue Silvia est imminent. Elle espère ainsi s'entendre dire que Dorante n'aime pas celle qu'on lui propose comme future femme.

– Lorsque Dorante lui demande si elle approuve son projet de départ, elle a une réponse hésitante qui est une déclaration d'amour à peine dissimulée, mais Dorante, dans son désarroi, y reste sourd.

– Elle essaie, tout en s'en défendant, de faire en sorte que Dorante explicite les raisons de son départ, ce qui lui permettrait d'engager une discussion avec lui et, peut-être, de l'amener à la demande tant attendue : « Comme je ne sais pas vos raisons, je ne puis ni les approuver, ni les combattre ; et ce n'est pas à moi à vous les demander », dit-elle hypocritement.

– Enfin, elle ironise, mais Dorante est bien trop perdu pour saisir l'ironie, lorsqu'il dit qu'elle a bien peur qu'il ne parte pas : elle le félicite d'être aussi perspicace en ce qui concerne ses sentiments. La stratégie cependant se révélera inefficace : après cette réplique, Dorante part pour la deuxième fois.

2. L'aveu de Silvia

a. Une émotion qui ne fait que croître.

Silvia ne veut pas céder le pas à l'amour sur l'amour-propre mais, durant toute la scène, l'émotion la submerge de plus en plus. À la première annonce du départ de Dorante, elle tient encore les rênes du jeu : « ce n'est pas là mon compte », dit-elle, et elle s'emploie tout entière à sa stratégie. Devant le second (faux) départ, l'émotion s'empare d'elle et ne la quittera plus. Pourtant, à la fin de son monologue, elle se ressaisit : « [...] il faut bien que notre réconciliation lui coûte quelque chose ».

b. Un amour qui se dit en se cachant difficilement.

Le retour de Dorante sur sa décision est bien près de la faire se trahir. Elle se lance alors dans une tirade amoureuse, très belle, mais au conditionnel. Un hypothétique qui a des accents de réalité tels – étant donné l'intensité de l'émotion qui l'accompagne – que Dorante ne peut plus que rendre les armes.

3. Le triomphe de l'amour

a. Dorante se rend pieds et poings liés.

Dorante demande Silvia en mariage en abandonnant tout préjugé : il lui sacrifie nom, rang et fortune. Silvia a remporté la victoire sur toute la ligne. « Enfin, j'en suis venue à bout », dit-elle : la raison est passé sous le joug de l'amour.

b. Silvia reconnue pour elle-même.

Sa victoire, cependant, va plus loin qu'une simple victoire amoureuse. En effet dans cette reddition complète de Dorante, c'est elle-même qui est reconnue dans toute la plénitude de son être, et même au-delà : elle est une âme belle et noble que Dorante ne peut qu'aimer et respecter. Silvia est parvenue à construire l'amour unique dont elle rêvait.

Conclusion

La conclusion doit porter sur deux points :

1. Le troisième acte se justifie pleinement. S'arrêtant après l'aveu de Dorante, la pièce n'eût été qu'une gentille comédie à l'eau de rose.

2. Il fallait que Silvia aille jusqu'au bout de l'épreuve, non pas tant pour éprouver Dorante que pour s'éprouver elle-même.

Maintenant, à la fin de cette scène, elle s'est démontré la valeur de son âme.

ANNEXES

SUJETS DE TRAVAUX OU DE DISSERTATIONS

– Les valets de Molière et ceux de Marivaux.

– La jeune fille de Molière et la jeune fille de Marivaux.

– Amour et amour-propre dans le *Jeu*.

– Commentez ce jugement porté par un critique sur la Silvia du *Jeu de l'amour et du hasard* : « Le projet de Silvia était en principe de tout repos : observer son promis sous un déguisement [...]. Mais sitôt lancées dans le jeu, la jeune fille et sa soubrette s'y compromettent infiniment plus qu'elles ne se l'étaient imaginé. L'élan du premier moment finit par consacrer un engagement définitif. Pour Silvia, la petite « aventure » divertissante du début devient très vite aventure « unique », miraculeuse, et enfin cauchemar [...]. »

Bibliographie essentielle

ANNEXES

Éditions du théâtre de Marivaux

Le théâtre de Marivaux est disponible dans toutes les collections de poche. En outre, on trouve *Le Jeu de l'amour et du hasard* dans les « Classiques Larousse » et dans l'« Univers des lettres » chez Bordas.

Pour les éditions plus savantes, la dernière parue (1993) et qui pour l'instant ne comporte que le premier tome dans lequel se trouve Le *Jeu* est celle de :

H. COULET et M. GILOT, *Marivaux, Théâtre complet*, « Bibliothèque de La Pléiade », Gallimard, 1993.

L'édition du *Théâtre complet* de Marivaux par F. DELOFFRE chez Garnier (1968, 2 tomes) fait toujours autorité. *Le Jeu de l'amour et du hasard* se trouve dans le tome I.

Ouvrages généraux

• Sur la vie et l'œuvre de Marivaux :

H. COULET et M. GILOT, *Marivaux, un humanisme expérimental*, coll. « Thèmes et textes », Larousse, Paris, 1973. Une excellente analyse du sentiment chez Marivaux.

M. DEGUY, *La machine matrimoniale*, coll. « Tel », Gallimard, Paris, 1986. Les règles du *Jeu de de l'amour et du hasard* y sont magistralement étudiées.

L'ouvrage essentiel, notamment pour la langue, demeure celui de F. DELOFFRE, *Une préciosité nouvelle, Marivaux et le marivaudage*, Armand Colin, Paris, 1967.

B. DORT, *Théâtre public*, Le Seuil, Paris, 1967. Une analyse séduisante du marivaudage considéré comme une mise à l'épreuve.

P. GAZAGNE, *Marivaux par lui-même*, coll. « Écrivains de toujours », Le Seuil, Paris, 1954. Pour une vue rapide sur la vie et l'œuvre.

ANNEXES

• Sur le XVIIIe siècle et le théâtre :

P. LARTHOMAS, *Le Théâtre en france au XVIIIe siècle*, coll. « Que-sais-je ? », P.U.F., 1980. Une approche indispensable du théâtre du XVIIIe siècle.

M. LAUNAY et G. MAILHOS, *Introduction à la vie littéraire du XVIIIe siècle*, Bordas, Paris, 1968. Comme son titre l'indique, une introduction claire, nette et précise au siècle de Marivaux.

N° d'éditeur : 10078639-(V)-20 - OSBB 80°
Dépot légal : août 2000
Imprimé en France par I.M.E. - 25110 Baume-les-Dames
N° imprimeur : 14388